নিজের জন্য রান্না

নিজের জন্য রান্না

শতরূপা বন্দ্যোপাধ্যায়

আ ন ন্দ

প্রথম সংস্করণ জানুয়ারি ২০১০

© শতরূপা বন্দ্যোপাধ্যায়

প্রকাশক এবং স্বত্বাধিকারীর লিখিত অনুমতি ছাড়া এই বইয়ের কোনও অংশেরই কোনও রূপ পুনরুৎপাদন
বা প্রতিলিপি করা যাবে না, কোনও যান্ত্রিক উপায়ের (গ্রাফিক, ইলেকট্রনিক বা অন্য কোনও মাধ্যম,
যেমন ফোটোকপি, টেপ বা পুনরুদ্ধারের সুযোগ সংবলিত তথ্য-সঞ্চয় করে রাখার কোনও পদ্ধতি)
মাধ্যমে প্রতিলিপি করা যাবে না বা কোনও ডিস্ক, টেপ, পারফোরেটেড মিডিয়া বা কোনও তথ্য
সংরক্ষণের যান্ত্রিক পদ্ধতিতে পুনরুৎপাদন করা যাবে না। এই শর্ত লঙ্ঘিত হলে উপযুক্ত
আইনি ব্যবস্থা গ্রহণ করা যাবে।

ISBN 978-81-7756-921-6

আনন্দ পাবলিশার্স প্রাইভেট লিমিটেডের পক্ষে ৪৫ বেনিয়াটোলা লেন
কলকাতা ৭০০ ০০৯ থেকে সুবীরকুমার মিত্র কর্তৃক প্রকাশিত এবং
বসু মুদ্রণ ১৯এ সিকদার বাগান স্ট্রিট কলকাতা ৭০০ ০০৪
থেকে মুদ্রিত।

আমার অত্যন্ত স্নেহের পাত্রী
মাইক্রোওয়েভ কুকিং বিশারদ
দীপান্বিতা ভাটিয়াকে

আমাদের প্রকাশিত এই লেখিকার অন্যান্য রান্নার বই

আমার ঠাকুমা-দিদিমার রান্না
রান্নার হাতেখড়ি

ভূমিকা

কেবলমাত্র নিজের জন্যই রান্না— এ অভিজ্ঞতা সহজে সকলের হয় না। তাই এ বিষয়ে বড় একটা ভাবনাচিন্তাও এ যাবৎ হয়নি। তবে এখন সে সময় এসেছে। কারণ, আজকাল মেয়েদের এবং ছেলেদের বড্ড বেশি একলা একলা থাকতে হয়— মার রান্নাঘর থেকে অনেক দূরে— কাজের খাতিরে এবং পড়াশোনার জন্যও। এবং বেশ ছোট বয়স থেকেই।

কাঁহাতক হোম ডেলিভারি বা পাড়ার ধাবার ওপর নির্ভর করা যায়? আর রান্নার লোক পাওয়াও যদি বা যায় তো তাদের কামাই, অসুখ-বিসুখ, হাজার বায়নাক্কা লেগেই থাকে। তখন মনে হয়, এর চেয়ে নিজে একটু ডাল ভাত ফুটিয়ে নেওয়াই ভাল।

সে কথা ভেবেই এই বই। সহজ পদ্ধতি, উপকরণেরও বাহুল্য নেই। অনেক রান্নাই একদিন রেঁধে দু'দিন খাওয়া চলে।

তা ছাড়া, একলা থাকলেও মাঝে মধ্যে বন্ধুবান্ধব তো এসেই পড়ে। তাদের কথা ভেবেও কিছু রান্না দিয়েছি; তবে কোনও রান্নাই বেশি সময় নেবে না। এবং রান্নাগুলি ecclectic অর্থাৎ আমাদের দেশের বিভিন্ন প্রান্তের তো বটেই; বেশ কিছু ভিনদেশিও।

এখানে একটা কথা বলি। যাঁরা একলা থাকেন, তাঁরা কিছু তৈরি মশলা বা পেস্ট, গ্রেভি ব্যবহার করতেই পারেন সুবিধের জন্য। তা ছাড়া, আজকাল

নানারকম টিনের খাবার, সিরাপ, সস ইত্যাদি সহজেই কিনতে পাওয়া যায়— সেসব নিয়ে পরীক্ষা-নিরীক্ষা চালাতে পারেন। সময় বাঁচে। আবার একটানা এ ধরনের খাবার ভালও লাগে না। তখন নিজের ওপর নির্ভর করতেই হয়।

আর সেই সময়ই এই বইটি কাজে দেবে। ব্রেকফাস্ট থেকে ডেজার্ট— সব রকম রেসিপি পাবেন। এবং সুবিধের জন্য কিছু মেনুও দেওয়া রইল। এবার তার থেকে নিজের মতো করে নেওয়া তো পাঠকের হাতে।

প্রথম প্রথম সব রেসিপির প্রণালী অক্ষরে অক্ষরে মেনে চললেও পরে নিজের ইচ্ছেমতো রদবদল করে দিব্যি নতুন নতুন পদ উদ্ভাবন করা যাবে।

এই বইটি লিখতে আমি যতটা আনন্দ পেয়েছি, আশাকরি এটি ব্যবহার করতেও আপনারা ততটাই খুশি হবেন।

গ্রন্থকার

সূচি

চিজ অমলেট সুপ্রিম ২৫
মোমো ২৬

ব্রাঞ্চ
মেনু নং ১
কেজরি ২৮
স্যালাড রিং ২৯
কফি শেক ২৯
মেনু নং ২
প্যানকেক ৩০
সেসামি চিকেন ফ্রাই ৩১
গ্রেপস্ ইন স্নো ৩২
মেনু নং ৩
ব্ল্যাক ফরেস্ট স্মুদি ৩২
হ্যাম রেয়ারবিট ৩৩
গাজরের স্যালাড ৩৪

রোজের ডিনার
মেনু নং ১
মুরগি ভাত ৩৫
আনারসের রায়তা ৩৬
রসগোল্লা ফ্লোট ৩৭
মেনু নং ২
হরাভরা চিকেন ৩৭

ফুলকপির ভেটিল ৩৮
বেকড সন্দেশ ৩৯
মেনু নং ৩
কিমা তড়কা ৪০
কাচুম্বর ৪১
বিস্কিট জামুন ৪১
মেনু নং ৪
পাস্তা পাই ৪২
কটেজ চিকেন ৪৩
বানানা রোল ৪৪
মেনু নং ৫
কালি মির্চ কা গোস্ত ৪৫
নিরামিষ ঝাল ফ্রেজি ৪৫
কোকোনাট কাস্টার্ড ৪৬

রবিবারের লাঞ্চ
মেনু নং ১
রবিবারের মাংস ৪৮
নূরজাহানি ডাল ৪৯
আনারসের পকোড়া ৫০
মেনু নং ২
লেমন রাইস ৫১
পনির ভেল্লা কোর্মা ৫২
কোকোনাট চাটনি ৫৩

বেসিক রান্না

চিকেন স্টক

উপকরণ: আধকেজি চিকেনের হাড় অথবা পাখনা, পা, গলা ইত্যাদি ৮-১০ কাপ জল, ১ চা চামচ নুন, ১০টি আস্ত গোলমরিচ, ১টি জয়িত্রী, ১টি মাঝারি পেঁয়াজ, ১টি ছোট গাজর, ১ ডাঁটা সেলারি, ১ ছড়া পার্সলি, ১টি তেজপাতা।

সেলারি, পার্সলি ও তেজপাতা একসঙ্গে বেঁধে নিন। একে বলে বোকে গারনি। অনেক বিলিতি রান্নার অপরিহার্য উপকরণ।

প্রণালী: মুরগির হাড় বা টুকরো ভাল করে ধুয়ে বাকি সব উপকরণের সঙ্গে প্রেশার কুকারে আধঘণ্টা সেদ্ধ করুন। ছেঁকে নিন। স্টক একরাত ফ্রিজে রাখুন। পরদিন দেখবেন ওপরে চর্বি জমে আছে। তুলে ফেলে দিয়ে স্টক প্রয়োজনমতো ব্যবহার করুন।

ভেজিটেবল স্টক

উপকরণ: ১টি গাজর, ১০টি বিন, ২টি পেঁয়াজ, ১টি আলু, ১টি গাছ পেঁয়াজ, ১ টুকরো চালকুমড়ো বা লাউ, কয়েকটি খোসাসুদ্ধু মটরশুঁটি, বোকে গারনি, ১ পাপড়ি জয়িত্রী, ৮ কাপ জল।

প্রণালী: টাটকা সবজি ব্যবহার করুন। অন্য সবজিও, যেমন গাজর দেওয়া যেতে পারে। সব একসঙ্গে সেদ্ধ করে নেবেন। সবজি বড় টুকরোয় কাটতে হবে। ছেঁকে স্টক ফ্রিজে রাখুন।

ফ্রিজে যদি কিছু গ্রেভি ও তৈরি মাংস/ কিমা রাখা যায় তা হলে শত ব্যস্ততার মধ্যেও রান্না করা কোনও সমস্যাই নয়। এমনকী হঠাৎ অতিথি এলেও আপনি ঠিকমতো তাঁদের সৎকার করতে পারবেন।

সাদা গ্রেভি

উপকরণ: ২৫০ গ্রাম পেঁয়াজ, কুচোনো, ১০টি কাজুবাদাম, ১$^{১}/_{২}$ টেবিল চামচ পোস্ত, ১ টেবিল চামচ আদা-রসুনবাটা, $^{১}/_{৪}$ কাপ সাদা তেল, ২টি কাঁচালংকা বা রুচিমতো, ২০০ মিলি টকদই, ফেটানো, ১ চা চামচ চিনি, রুচিমতো নুন, ৩-৪ কাপ স্টক বা জল।

প্রণালী: কাজুবাদাম ও পোস্ত ১৫ মিনিট গরম জলে ভিজিয়ে রেখে কাঁচালংকার সঙ্গে বেটে নিন।

পেঁয়াজ সমান মাপের পাতলা লম্বা করে কুচোতে হবে। সামান্য জলে পেঁয়াজ সেদ্ধ করুন। পেঁয়াজ সেদ্ধ হতে হতে জল যেন শুকিয়ে যায়। সেদ্ধ পেঁয়াজ বেটে রাখুন।

কড়ায় তেল গরম করে সেদ্ধ পেঁয়াজ ও আদা-রসুনবাটা ভাজুন। রসুনের কাঁচা গন্ধ চলে যাওয়া চাই, তবে মশলায় যেন রং না ধরে। এবার কাজু-পোস্তবাটা, টকদই, নুন ও চিনি দিয়ে কষতে থাকুন; আঁচ মাঝারি থাকবে।

মিনিট দুই পর স্টক বা জল দিন। ফুটে উঠলে আঁচ কমিয়ে ৫ মিনিট হতে দিন। ঠান্ডা হলে ফ্রিজে ঢাকা দিয়ে রাখুন। এই আন্দাজ ১ কেজি মাংস বা চিকেন রাঁধা যাবে। ৩-৪ দিন ভাল থাকবে।

এই গ্রেভি টাটকা ব্যবহার করতে হলে কাজু-পোস্ত গরম দুধে ভিজিয়ে বাটবেন। এতে স্বাদ বাড়ে, তবে সেক্ষেত্রে ফ্রিজে রাখা যায় না।

এছাড়া এই গ্রেভি দিয়ে রান্না করার পর নামানোর আগে ৩-৪ টেবিল চামচ ক্রিম বা ফেটানো দুধের সর দিলে খেতে খুব ভাল হবে।

লাল গ্রেভি

উপকরণ: ১/২ কাপ পেঁয়াজবাটা, ১ টেবিল চামচ আদা-রসুনবাটা, ১ কাপ টম্যাটো পিউরি, ১ চা চামচ লংকাগুঁড়ো, ১ চা চামচ হলুদ, ১/২ চা চামচ গরম মশলার গুঁড়ো, ১ চা চামচ চিনি, রুচিমতো নুন, ১/৩ কাপ সাদা তেল।

প্রণালী: কড়ায় তেল দিয়ে পেঁয়াজবাটা ছাড়ুন। মাঝারি আঁচে সোনালি করে ভাজুন। এবার আদা-রসুনবাটা দিন। রসুনের কাঁচা গন্ধ চলে গেলে টম্যাটো পিউরি, লংকা, হলুদ, গরম মশলা, নুন ও চিনি দিয়ে কষতে থাকুন।

মশলা তেল ছাড়লে নামান। ঠান্ডা হলে ঢাকা দিয়ে ফ্রিজে রাখুন। ৩-৪ দিন ভাল থাকবে।

১ কেজি মাংস/চিকেনের জন্য উপযোগী। কাশ্মীরি লংকা ব্যবহার করলে রং আরও লাল হবে।

এই গ্রেভিগুলি ডিপ ফ্রিজারেও রাখা যায়। তাতে অন্তত ১০-১২ দিন ভাল থাকে। ২-৩ ভাগে ভাগ করে রাখলে প্রয়োজনমতো বার করে ব্যবহার করা যাবে।

সবুজ গ্রেভি

উপকরণ: ১ বড় আঁটি পালংশাক, রুচিমতো নুন, $^1\!/_2$ কাপ ধনেপাতাকুচি, ২ টেবিল চামচ সাদা তেল, ১টি বড় পেঁয়াজ মিহি কুচোনো, ২ কোয়া রসুন মিহি কুচোনো, ১ চা চামচ কোরানো আদা, ১ কাপ টম্যাটো পিউরি, $^1\!/_2$ চা চামচ লংকাগুঁড়ো।

প্রণালী: পালংশাকের ডাঁটা বাদ দিয়ে শুধু পাতাগুলি নেবেন। শাক খুব ভাল করে ধুয়ে নিন জল পালটে পালটে। শাকে ১ টিপ নুন ও $^1\!/_2$ চা চামচ চিনি দিয়ে ঢাকা দিন। তেজ আঁচে বসান। শাক নিজের জলেই সেদ্ধ হয়ে যাবে ৫ মিনিটে। একটু ঠান্ডা হলে ধনেপাতার সঙ্গে মিক্সারে পিষে নিন।

কড়ায় তেল গরম করে পেঁয়াজ ছাড়ুন। পেঁয়াজ নরম হলে রসুন দিন। রসুনের কাঁচা গন্ধ চলে গেলে আদাবাটা দিয়ে মিনিটখানেক নাড়ুন। এবার টম্যাটো পিউরি, লংকা ও নুন দিয়ে ভাজুন ২-৩ মিনিট, পালংশাকের পিউরি দিয়ে নাড়তে থাকুন কম আঁচে।

আস্তে আস্তে হবে, মাঝে মাঝেই নাড়বেন। গাঢ় হয়ে পাশ থেকে তেল ভেসে এলে নামান। একটু মাখন ছড়িয়ে খেতে দিন।

এটি এমনিই খাওয়া যায়। অথবা এই গ্রেভিতে মাছ, মাংস, ডিম, ছানা, মটরশুঁটি বা অন্য তরকারি দিয়ে যে কোনও কারি বানানো যায়।

পালংশাকের সঙ্গে একটি কাঁচালংকা বেটে দেওয়া চলে। টম্যাটোর বদলে টক দইও দেওয়া যাবে। তেলের সঙ্গে একটু মাখন ও ঘি দিয়ে রাঁধলে স্বাদ ও গন্ধ দুটিই বাড়ে।

শামি কাবাব

এই কাবাবটিকে একেবারে বেসিক কাবাব বলা যায়। এটি রপ্ত করতে পারলে চটজলদি নানারকম ভাবে অদল বদল করে নতুন রেসিপি বানানো যাবে।

উপকরণ: আধকেজি কিমা, ১০০ গ্রাম ছোলার ডাল, ১ চা চামচ জিরে, ১ চা চামচ পোস্ত, ২টি ছোট এলাচ, ২টি লবঙ্গ, ১ টুকরো দারচিনি, রুচিমতো নুন, ১ চা চামচ লংকাগুঁড়ো, ২টি ডিম, ১ টেবিল চামচ পাতিলেবুর রস, ভাজার জন্য সাদা তেল।

কিমাতে যেন চর্বি না থাকে। সবথেকে ভাল মাংস কিনে বাড়িতে ফুড প্রসেসরে কিমা বানিয়ে নেওয়া।

প্রণালী: কিমা, ডাল, জিরে, পোস্ত, নুন ও আস্ত গরমমশলা, $^1/_2$ কাপ জল দিয়ে ১০ মিনিট প্রেশারে সেদ্ধ করে নিন। জল বাড়তি থাকলে আঁচ বাড়িয়ে শুকিয়ে নিতে হবে। লংকা দিয়ে বাটুন মসৃণ করে। সব মশলা যেন মিহি বাটা হয়। শক্ত টাইট বাটা চাই।

বাটা মাংসের সঙ্গে ডিম ও লেবুর রস মেশান। তার থেকে ছোট্ট কাবাব গড়ে ছাঁকা তেলে ভেজে নিন।

৫

এই কাবাবের মধ্যে মিহি কুচোনো পেঁয়াজ, ধনেপাতা ও কাঁচালংকা, লেবুর রসে ভিজিয়ে পুর ভরেও ভাজা যায়। অথবা কমলালেবুর ফুল, কাজু, কিশমিশ কুচির পুর ভরলে নারঙ্গি কাবাব হবে।

কিমার মিশ্রণটি না গড়ে সবশুদ্ধু নন-স্টিক স্কিলেটে তেল দিয়ে নেড়েচেড়ে ভাজতে থাকুন। মাঝে মাঝে একটু তেল ধার থেকে ছড়াতে হবে। একদিক লালচে হলে উলটে পালটে আবার ভাজুন। বেশ ভাজাভাজা শুকনোমতো হবে ও লালচে দেখাবে। এর নাম সুখা কাবাব।

সুখা কাবাব পুর হিসেবেও ব্যবহার করা যায়— যেমন পরটা, প্যানকেক, কচুরি ইত্যাদি। শামি কাবাব পিকনিক বা লম্বা ড্রাইভ অথবা ট্রেনে বেড়াতে গেলেও নিয়ে যাবার পক্ষে খুব ভাল। ২-৩ দিন ভাল থাকে।

কিমা

এতে আলু বা অন্য সবজি দেওয়া যাবে। শুকনো করে রাঁধলে সিঙাড়া, টিকিয়া, প্যানকেক, পাই ইত্যাদিতে ভরা যাবে। যে কোনও তরকারি দিয়ে সুস্বাদু কারি হবে। স্যান্ডউইচের পুর হিসেবেও ভারী ভাল।

উপকরণ: ৪ টেবিল চামচ সাদা তেল, ৪টি বড় পেঁয়াজ, মিহি কুচোনো, ৮ কোয়া রসুন, ৫ সেমি আদা, ১ চা চামচ হলুদ, ৪টি বড় টম্যাটো (কুচোনো), ১ কেজি কিমা, রুচিমতো নুন, ১ টেবিল চামচ চিনি, ১ টেবিল চামচ ভিনিগার, ১ টেবিল চামচ ওয়ার্স্টারশায়ার সস, একমুঠো ধনেপাতা, ৪টি কাঁচালংকা।

প্রণালী: প্রেশার কুকারে তেল গরম করে পেঁয়াজ ভাজুন। পেঁয়াজ

স্বচ্ছমতো হলে আদা-রসুনবাটা দিয়ে হালকা লাল করে ভাজুন। প্রয়োজনে জল ছিটিয়ে ভাজবেন যাতে তলা না ধরে।

হলুদ ও টম্যাটো দিয়ে কষুন। টম্যাটো নরম হয়ে মিশে গেলে কিমা দিয়ে কষুন। কিমার কাঁচা ভাব চলে গেলে ২ কাপ জল ও নুন দিয়ে ১০ মিনিট কুকারে সেদ্ধ করুন।

এবার কুকার খুলে ধনেপাতা, চিনি, ভিনিগার, ওয়ার্স্টারশায়ার সস, কাঁচালংকা কুচি দিয়ে ৫ মিনিট ফোটান, ইতিমধ্যে ঝোল কতকটা গাঢ় হয়ে যাবে।

ঠান্ডা হলে ফ্রিজে রাখুন। কতটা ঝোল রাখবেন তা আপনার ওপর; সেই বুঝে জল কম বেশি হতে পারে।

মাংস/চিকেন

উপকরণ: ৪ টেবিল চামচ সাদা তেল, ৮ কোয়া রসুন, ৩ সেমি আদা, ৪টি বড় পেঁয়াজ (মিহি কুচোনো), ১ কেজি মাংস বা চিকেন, ১ টেবিল চামচ আস্ত গরমমশলা, থেঁতো করা, ৪টি শুকনো লংকা, রুচিমতো নুন।

প্রণালী: আদা-রসুন বাটতে হবে। সময় বাঁচাতে কেনা আদা-রসুন বাটাও ব্যবহার করতে পারেন।

তেল গরম করে পেঁয়াজ ছাড়ুন। পেঁয়াজ স্বচ্ছ হলে আদা-রসুনবাটা দিয়ে ভাজুন বেশ সোনালি করে। এবার গরমমশলা ও শুকনো লংকাকটি ছিঁড়ে দিন। একটু নেড়ে নুন ও ২ কাপ জল দিয়ে ১৫ মিনিট কুকারে সেদ্ধ করুন।

ঠান্ডা হলে ফ্রিজে রাখুন। ডিপ ফ্রিজারে রাখলে ৮-১০ দিন ভাল থাকে। ফ্রিজে রাখলে ৩ দিন।

এর সঙ্গে আপনার ইচ্ছেমতো উপকরণ মিশিয়ে নতুন পদ তৈরি করতে পারবেন খুব তাড়াতাড়ি।

কতকগুলি মশলাও বাড়িতে গুঁড়ো করে রাখলে ব্যস্ততার সময় ভারি কাজে দেয়। বায়ু-নিরোধক কৌটো বা শিশিতে অন্তত ৬ মাস ঠিক থাকে।

মোগলাই গরমমশলা

এই গরমমশলাটি সাধারণ গুঁড়ো গরমমশলার থেকে বেশি কড়া। তাই একটু কম করে ব্যবহার করুন।

উপকরণ: ২৫ গ্রাম ছোট এলাচ, ২৫ গ্রাম লবঙ্গ, ২৫ গ্রাম দারচিনি, ১০ গ্রাম সা জিরে, জয়িত্রী ও সা মরিচ, প্রতিটি ১টি, জায়ফল।

প্রণালী: সব উপকরণ খুব হালকা করে শুকনো খোলায় ভেজে গুঁড়ো করে নিন।

কালো মশলা

এটি ভারী কাজের। নানান তরকারিতে ব্যবহার করা যায়। এমনকী আলুভাতে মেখে খেলেও দারুণ লাগে।

উপকরণ: ৫০ গ্রাম জিরে, ৫০ গ্রাম ধনে, ৫টি শুকনো লংকা, ২৫ গ্রাম মরিচ, ৬টি বড় এলাচ, গরমমশলা— সব মিশিয়ে (লবঙ্গ, এলাচ, দারচিনি) ২৫ গ্রাম, ১ চা চামচ কালোজিরে।

প্রণালী: সব উপকরণ কাঠখোলায় ভেজে গুঁড়ো করে নিন।

আলুর পুর

এটি পুর হিসাবে অনবদ্য। সিঙাড়া, প্যানকেক, কচুরি, পরোটা, স্যান্ডউইচ বা এমনিই ভাতের সঙ্গে খেতে অত্যন্ত ভাল।

উপকরণ: ১/২ কেজি আলু, সেদ্ধ করা, ১/৩ কাপ সাদা তেল, ২টি বড় পেঁয়াজ স্লাইস করা, ১ চা চামচ লংকাগুঁড়ো, রুচিমতো নুন, ১ চা চামচ চিনি, ৪টি কাঁচালংকা কুচোনো, ১ কাপ কুচোনো ধনেপাতা, ১ কাপ টম্যাটো কেচাপ।

প্রণালী: সেদ্ধ আলুর খোসা ছাড়িয়ে চটকে নিন।

নন-স্টিক কড়াতে তেল গরম করে পেঁয়াজ ছাড়ুন। পেঁয়াজে হালকা রং ধরতে শুরু করলে আলু, লংকাগুঁড়ো, নুন ও চিনি দিয়ে উলটে পালটে ভাজতে থাকুন। একদিক একটু লালচে হলে উলটে দেবেন।

আঁচ মাঝারি থাকবে। এই ভাজাটিই ধৈর্যের ব্যাপার। খানিকটা ভাজাভাজা হলে কাঁচালংকা ও টম্যাটো কেচাপ দিয়ে নেড়েচেড়ে মিশিয়ে ফেলুন পুরোপুরি। খানিকটা লালচে মতো হওয়া চাই। শেষে ধনেপাতা মিশিয়ে নামান।

ধনেপাতার চাটনি

উপকরণ: ২ কাপ ধনেপাতা কুচি, ১/২ কাপ পুদিনা কুচি, ২টি কাঁচালংকা, পাতিলেবুর সাইজের একদলা তেঁতুল, বিট নুন, নুন ও চিনি রুচিমতো।

প্রণালী: ধনেপাতা ও পুদিনা কাপে চেপে চেপে ভরবেন। শুধু পাতা

৯

নেবেন। ডাঁটি থাকলে চাটনি ছিবড়ে হয়ে যায়।

ধনেপাতা, পুদিনা, কাঁচালংকা ও তেঁতুল একসঙ্গে বেটে নিন। মিক্সিতে সামান্য ঘোরালেই পেস্ট হয়ে যাবে। এর সঙ্গে বাকি সব উপকরণ মেশালেই হল। তবে টাইট বাটা চাই। জল দেবেন না।

ফ্রিজে অনেকদিন ভাল থাকে।

তেঁতুলের মিষ্টি চাটনি

উপকরণ: ১০০ গ্রাম খেজুর, ১/২ কাপ বিচি ছাড়ানো তেঁতুল, ১/২ কাপ গুড় বা চিনি, ১/২ কাপ চা চামচ লংকাগুঁড়ো, ১ চা চামচ শুকনো আদার গুঁড়ো, বিট নুন ও নুন রুচিমতো।

একসঙ্গে ভেজে গুঁড়ো করুন: ২ চা চামচ জিরে, ১/৪ চা চামচ মৌরি।

প্রণালী: খেজুরের বিচি বাদ দিয়ে তেঁতুলের সঙ্গে ১ কাপ জল দিয়ে ৫ মিনিট কুকারে সেদ্ধ করে নিন। মিক্সিতে ব্লেন্ড করুন।

ছেঁকে নিয়ে স্টিলের ডেকচিতে ঢেলে আঁচে বসান। বাকি সব উপকরণ দিয়ে ফোটান। একটু জল দিতে হতে পারে। টক-মিষ্টির সমতা নিজের ওপর। মিষ্টি ভাবই বেশি থাকবে। ফুটে ফুটে কতকটা গাঢ় হলে নামান। বেশি গাঢ় করবেন না, কারণ ঠান্ডা হলে অনেকটা টেনে যাবে।

ফ্রিজে বহুদিন ভাল থাকে।

পিৎজ়া সস

উপকরণ: ৩৫০ গ্রাম পাকা টম্যাটো, ৬ কোয়া রসুন, ১ টেবিল চামচ সাদা তেল, ১ টেবিল চামচ মাখন, ১টি মাঝারি পেঁয়াজ মিহি কুচোনো, ১টি ক্যাপসিকাম মিহি কুচোনো, ১ চা চামচ বেসিলপাতা কুচি, ১/৪ কাপ টম্যাটো কেচাপ, নুন ও মরিচ আন্দাজমতো, ১ চা চামচ চিলি ফ্লেকস, ১ চা চামচ অরিগানো অথবা থেঁতো করা জোয়ান।

প্রণালী: টম্যাটো ফুটন্ত জলে দিয়ে খোসা ছাড়িয়ে রসুনের সঙ্গে মিক্সিতে ব্লেন্ড করে নিন।

তেল ও মাখন একসঙ্গে গরম করে পেঁয়াজ ও ক্যাপসিকাম ছাড়ুন। পেঁয়াজ নরম ও স্বচ্ছমতো হলে টম্যাটো পিউরি দিন, সেইসঙ্গে বাকি সব উপকরণ কষতে থাকুন। বেশ হালুয়ার মতো থকথকে হলে নামান।

ঠান্ডা হলে ফ্রিজে রাখুন। ৩-৪ দিন ভাল থাকবে। পিৎজ়াতে তো কাজ দেবেই। পাস্তা সস হিসেবেও খুব ভাল। অন্য রান্নাতেও দেওয়া যাবে।

একে ইটালিয়ান সসও বলে।

হোয়াইট সস

হোয়াইট সস অর্থাৎ সাদা সস কন্টিনেন্টাল রান্নার এক অবিচ্ছেদ্য অঙ্গ। নানাভাবে এই সসটি বিভিন্ন রেসিপিতে ব্যবহার করা যাবে। ঢাকা দিয়ে ফ্রিজে ২-৩ দিন থাকে।

পাতলা সাদা সস: ১ টেবিল চামচ মাখন, ১ টেবিল চামচ ময়দা, ১ কাপ

ঈষদুষ্ণ দুধ, $^1/_4$ চা চামচ নুন, এক চিমটি মরিচগুঁড়ো।

কড়াতে বা ফ্রাইংপ্যানে— নন-স্টিক হলে ভাল হয়— মাখন গরম করে ময়দা দিন। নেড়েচেড়ে ভাজুন, আঁচ কম থাকবে ও ময়দা যেন লাল না হয়। ময়দার কাঁচাভাব চলে গেলে আঁচ থেকে সরিয়ে একহাতে দুধ ঢালুন ও অন্যহাতে অনবরত নাড়তে থাকুন। মিশে গেলে আবার আঁচে বসান, সমানে নাড়তে হবে কম আঁচে। ৩ মিনিট নেড়ে নুন ও মরিচ মিশিয়ে নামান।

সাদা সস গরম রাখতে হলে গরম জলের পাত্রের ওপর বসিয়ে রাখুন। টাইট করে ঢাকা দিয়ে রাখবেন। পাতলা সাদা সস সাধারণত সুপে বা কিছু গাঢ় করতে হলে ব্যবহার করা হয়।

মাঝারি ঘন সাদা সস: ২ টেবিল চামচ মাখন, ১ কাপ দুধ, ২ টেবিল চামচ ময়দা, নুন ও মরিচ।

একই পদ্ধতি। ব্যবহার হয় বিভিন্ন গ্রেভি, ক্যাসারোল ইত্যাদিতে।

গাঢ় সাদা সস: ৪ টেবিল চামচ মাখন, ৪ টেবিল চামচ ময়দা, ১ কাপ দুধ, নুন ও মরিচ।

একই পদ্ধতি, এই সস ব্যবহৃত হয় কাটলেট, ক্রোকে ও সুফ্লের জন্য। অন্তত ৫ মিনিট ফোটাতে হবে দুধ দিয়ে।

সাদা সসে কোরানো চিজ দিলে চিজ সস হবে।

কারি পাউডার দিলে কারি সস হবে। মাখনে প্রথমে কারি পাউডার ভেজে তারপর ময়দা ভাজতে হবে।

সেদ্ধ মাশরুম কুচি দিলে মাশরুম সস হবে।

পার্সলি সসের জন্য কুচোনো পার্সলি দেবেন।

দুধের বদলে একই মাপের পাতলা ক্রিম দিলে ক্রিম সস হবে।

বারবিকিউ সস

যে কোনও কাবাবের মারিনেড হিসেবে ব্যবহার করা চলে। তা ছাড়া ডিপ হিসেবেও অনবদ্য।

উপকরণ: ১/৪ কাপ সাদা তেল, ১ চা চামচ মিহি কুচোনো রসুন, ২ কাপ টাটকা টম্যাটো পিউরি, ১/২ কাপ ভিনিগার, ১ চা চামচ নুন, ১ টেবিল চামচ ওয়ার্স্টারশায়ার সস, ১ চা চামচ লংকাগুঁড়ো অথবা মরিচগুঁড়ো, ১/৪ কাপ চিনি বা রুচিমতো।

প্রণালী: সসপ্যানে তেলটুকু গরম করে রসুনকুচি ছাড়ুন। তেল বেশি গরম করবেন না। নেড়েচেড়ে ভাজুন। রসুনের কাঁচা গন্ধ চলে গেলে বাকি সব উপকরণ দিন।

নাড়তে থাকুন, ফুটে উঠলে আঁচ কমিয়ে ১৫ মিনিট হতে দিন, গাঢ় হবে। ফ্রিজে রাখলে কয়েকদিন ভাল থাকবে।

মাংসের কাবাবে মারিনেড হিসেবে ব্যবহার করতে হলে এর মধ্যে একটু কাঁচা পেঁপের রস মেশাতে পারেন। তাতে মাংস সহজে সেদ্ধ হবে।

থাই রেড কারি পেস্ট

কারি পেস্ট: লাল ও সবুজ কারি পেস্ট— থাই রান্নার অবিচ্ছেদ্য অঙ্গ। বিভিন্ন পদে এই বাটা মশলাটি ব্যবহার হয়। বাজারে রেড ও গ্রিন কারি পেস্ট কিনতে পাওয়া যায়; ব্যস্ত মেয়েদের পক্ষে কিনে আনা খুব সোজা। তবে বাড়িতে তৈরি করাও কোনও শক্ত কাজ নয়। বলাই বাহুল্য, বাড়িতে তৈরি

টাটকা মশলার স্বাদই আলাদা। পরিষ্কার শিশি বা কৌটোতে ভরে রাখলে দিন ১৫ ভাল থাকবে, অবশ্যই ফ্রিজে রাখতে হবে।

থাই রান্নায় যে আদা ব্যবহৃত হয়, তাকে বলে গালাংগাল। নিউ মার্কেট, সি-থ্রি (C3) বা অন্য বড় বাজারে টাটকা পাওয়া যায়। গালাংগাল পেলে ভাল, নতুবা আমআদা বা সাধারণ আদা দিয়েও কাজ চলবে।

এই সঙ্গে একটু কুচোচিংড়ি বেটে দিতে পারলে ভারী সুন্দর গন্ধ বেরোয়, স্বাদও বাড়ে। তবে ফ্রিজে রাখলে চিংড়ি দেবেন না। রান্না করার ঠিক আগে বেটে দেবেন।

উপকরণ: ৭-৮টি লাল কাঁচালংকা, ২.৫ সেমি থাই আদা, বা আমআদা বা আদা, ১ চা চামচ জিরে, ১ চা চামচ ধনে, ৩ ডাঁটা লেমন গ্রাস, ১টি গন্ধরাজ লেবুর পাতা, ১০টি কুচো চিংড়ি, ১ কোয়া রসুন, ১ টেবিল চামচ ধনেপাতা কুচি, ১ টেবিল চামচ সাদা তেল, ১ চা চামচ নুন, ৩টি ছোট্ট পেঁয়াজ, ৫টি আস্ত গোলমরিচ।

প্রণালী: গন্ধরাজ লেবু পাতার মোটা শিরা বাদ দিয়ে পাতলা করে কুচিয়ে নেবেন। লেমন গ্রাসের শুধুমাত্র সাদা অংশটুকু ব্যবহার করতে হয়। চিংড়িমাছের মাথা ও খোলা বাদ দেবেন এবং অবশ্যই পিঠের কালো সুতো ফেলতে হবে।

সব উপকরণ একসঙ্গে বেটে নিয়ে তেল মিশিয়ে রাখুন। এই আন্দাজ ১টি চিকেন রান্নায় দেওয়া যাবে।

লাল কাঁচালংকা না পেলে শুকনো লংকা দেওয়া যাবে। বেশি ঝাল মনে হলে কম দেবেন। তবে এই মশলা একটু ঝাল-ঝালই হয়।

থাই সবুজ কারি পেস্ট

লাল কারি পেস্টের মতো সবুজ কারি পেস্টও ব্যবহার হয়। ধনেপাতা শেকড়সুদ্ধু কিনবেন। থাই রান্নায় ধনেপাতার শেকড় ও ডাঁটা অবশ্যই দিতে হয়।

উপকরণ: ৬-৭টি কাঁচালংকা, ৩টি ডাঁটা লেমন গ্রাস, ২ চা চামচ ধনে, ১ চা চামচ জিরে, ৫টি গোলমরিচ, ২টি ছোট পেঁয়াজ, ১ কোয়া রসুন, ১ টেবিল চামচ কোরানো থাই আদা বা আমআদা অথবা আদা, ১ বড় আঁটি ধনেপাতা (ডাঁটা ও শেকড়সুদ্ধ), ১ টিপ হলুদ, ১ চা চামচ নুন, ৮-১০ টি কুচো চিংড়ি (না দিলেও চলে), ২ টেবিল চামচ সাদা তেল, ১টি গন্ধরাজ লেবুর পাতা (শিরা ফেলে কুচোনো)।

প্রণালী: ধনেপাতার শেকড় ও ডাঁটা মিহি করে কুচিয়ে নেবেন। সব একসঙ্গে বেটে পরিশ্রুত শিশিতে ভরে ফ্রিজে রাখুন। দিন পনেরো ভাল থাকবে।

ঝাল বেশি চাইলে লংকা বাড়াতে পারেন।

চিলি অয়েল

চিলি অয়েল সচরাচর চাইনিজ রান্নায় ব্যবহার হয়— বিশেষত সেজুয়ান রান্নায়। ফ্রিজে ৮-১০ মাস ভাল থাকে। বাইরেও ৪-৫ মাস রাখা যায়। তবে শুধু চাইনিজই নয়, অন্য রান্নাতেও চিলি অয়েল স্বচ্ছন্দে ব্যবহার করা যাবে। যেমন ধরুন, রাজস্থানী ডাল বা পাঞ্জাবি ঝোলের ওপর সামান্য চিলি অয়েল ছড়িয়ে দিলে স্বাদ অনেক ভাল হবে।

উপকরণ: ১ কাপ সাদা তেল, ১ টেবিল চামচ ভরা ভরা লংকাগুঁড়ো।

প্রণালী: তেল কড়াতে গরম করুন। তবে ধোঁয়া যেন না বেরোয়। ধোঁয়া বেরোবার ঠিক আগে আঁচ থেকে নামিয়ে লংকাগুঁড়ো ঢেলেই ঢাকা দিয়ে দিন। একেবারে ঠান্ডা হলে ছেঁকে পরিশ্রুত বোতলে ভরে রাখুন।

কোকোনাট ক্রিম

কিছু বড় দোকানে বরফ জমাট কোকোনাট ক্রিম কিনতে পাওয়া যায়। বাড়িতে অনায়াসেই তৈরি করে ফ্রিজারে রাখুন। দিন ১০-১২ ভাল থাকবে। খরচ পড়ে অনেক কম।

উপকরণ: ১টি বড় নারকোল কুরে তার থেকে চার বারে ৪ কাপ গরম জল দিয়ে ৪ কাপ দুধ বার করুন। সব দুধ একসঙ্গে একটি বাটিতে রাখুন। ফ্রিজে রাখুন ২৪ ঘণ্টা।

দেখবেন ওপরে দুধ ক্রিমের মতো জমে গেছে। আস্তে আস্তে জমা ক্রিম তুলে নিন। নীচের জল ফেলে দিন। ক্রিমটুকু কৌটোয় করে তুলে ফ্রিজারে রাখুন।

ব্রেকফাস্ট

ফলার

একেবারে খাঁটি বাঙালি জলখাবার। বছরভরই খাওয়া যায়, তবে গরমকালের পক্ষে খুবই ভাল। আর শুধু ব্রেকফাস্ট কেন, দিনের যে কোনও সময় খেতে ভাল লাগে।

উপকরণ: ২ কাপ চিঁড়ে, ১$^{১}/_{২}$ কাপ দুধ, ২ টেবিল চামচ চিনি বা গুড় রুচিমতো, কলা বা আমের টুকরো, একমুঠো বাদাম, কিশমিশ (না দিলেও চলে)।

প্রণালী: একটু মোটা চিঁড়ে ধুয়ে ভিজিয়ে রাখুন আধঘণ্টা। যদি অতটা দুধ খেতে না চান তো ১ কাপ জলে ভিজিয়ে পরে $^{১}/_{২}$ কাপ দুধ দিয়ে দেবেন।

কলা বা আম (বা দুটিই) দিয়ে মাখুন। শেষে বাদাম ও কিশমিশ মেশাবেন। গরমকালে ঠান্ডা করে খেতে দেবেন।

এতে একটু কালাকাঁদ, নতুন গুড়ের সন্দেশ বা যে কোনও মিষ্টি মেশালে বেশ শাহী হয়। অথবা চকোলেট চিপস। এভাবে অতিথিদের খেতে দেওয়া যায়।

পালক পনির চিল্লা

খুব পুষ্টিকর ও পেটভরা জলখাবার। বিশেষত শীতকালে এটি খেয়ে বেরোলে অনেকক্ষণ এনার্জি পাওয়া যায়।

উপকরণ: ২৫০ গ্রাম খোসাসুদ্ধু আস্ত মুগের ডাল, ১ টেবিল চামচ আদাবাটা, ১ চা চামচ রসুনবাটা, ১ টেবিল চামচ কাঁচালংকাবাটা, রুচিমতো নুন, ১ চিমটি হিং, ১০০ গ্রাম পালংপাতা (মিহি কুচোনো), ২টি মাঝারি পেঁয়াজ (মিহি কুচোনো), ভাজবার জন্য সাদা তেল।

ওপরে সাজাবার জন্য: ১ কাপ কোরানো পনির, ১/২ কাপ ধনেপাতা কুচি, ১টি কাঁচালংকা (কুচোনো), ১ চা চামচ চাট মশলা, ১ টিপ বিট নুন।

প্রণালী: খোসাসুদ্ধু ডাল একরাত ভিজিয়ে রেখে মিহি করে বাটতে হবে। বাটা ডালের সঙ্গে আদা, রসুন, কাঁচালংকাবাটা, নুন ও হিং মিশিয়ে ভাল করে ফেটান। প্রয়োজনমতো জল দিয়ে থকথকে গোলা তৈরি করুন।

নন-স্টিক তাওয়াতে সামান্য তেল ছড়িয়ে ১ বড় হাতা গোলা ছড়িয়ে দিন সমানভাবে। ধার থেকে সামান্য তেল ছড়ান। ওপরে পালংপাতা কুচি ও পেঁয়াজ ছড়িয়ে হাতা দিয়ে চেপে চেপে দিন। নীচের দিকটি লালচে হলে উলটে আরও তেল ছড়ান পাশ থেকে। বেশ ভাল ভাজা হলে নামান। ওপরে পনিরের মিশ্রণ ছড়িয়ে খেতে দিন।

সাজাবার জন্য সব উপকরণ একসঙ্গে মিশিয়ে নিলেই হল।

সুজির দোসা

দোসা দক্ষিণ ভারতের জনপ্রিয় ব্রেকফাস্ট— একথা নতুন করে বলতে হবে না। তবে সঠিক দোসা তৈরি করার ঝামেলা অনেক। তাই সুজির দোসার প্রণালী দিলাম। সহজে তাড়াতাড়ি হয়।

উপকরণ: ২৫০ গ্রাম সুজি, ২৫০ গ্রাম চালের গুঁড়ো, ১ টেবিল চামচ ময়দা, ৫ সেমি টুকরো আদা, ২টি কাঁচালংকা, ১/৪ কাপ কোরানো নারকোল, ১চা চামচ জিরে, ৫টি কারিপাতা, রুচিমতো নুন, ভাজবার জন্য সাদা তেল।

প্রণালী: কাঁচালংকা, আদা ও কারিপাতা মিহি করে কুচোতে হবে।

সুজি, চালের গুঁড়ো, ময়দা, নুন ও জল দিয়ে গোলা তৈরি করুন। পাতলা গোলা হবে। তেল ছাড়া বাকি সব উপকরণ মেশান। শেষে ১ চা চামচ তেল মেশাবেন। ঢাকা দিয়ে ১ ঘণ্টা রাখুন। অবশ্য না রেখে তখনই ব্যবহার করা যায়। রাখলে সুজি ও চালের গুঁড়ো একটু নরম হয়।

একটি নন-স্টিক চাটুতে সামান্য তেল মাখিয়ে এক বড় হাতা গোলা ছড়ান। গোলা ভালভাবে নেড়ে নেবেন; যদি মনে হয় গাঢ় তো সামান্য জল মিশিয়ে নেবেন। চাটু ঘুরিয়ে গোলা ছড়িয়ে নিন। পাশ থেকে সামান্য তেল ছড়ান। নীচটি হালকা সোনালি হলে উলটে আরও ১ চা চামচ তেল দিয়ে ভেজে নিন।

এরকমভাবে শুধুই খাওয়া যাবে, তবে পুর ভরতে হলে একদিকেই ভাজলে চলবে। তখন ওপর দিকেও একটু তেল ছড়িয়ে নেবেন।

পুর: আসলে দোসার পুর হিসেবে যা ইচ্ছে দেওয়া যায়। ছানা, কিমা, চিংড়িমাছ, মাছ, এমনকী বেঁচে যাওয়া তরকারি। আমি দু'রকম পুরের কথা বলছি।

ডিমের পুর

উপকরণ: ৩টি ডিম (ফেটানো), ২টি বড় পেঁয়াজ (মিহি কুচোনো), ২ চা চামচ আদা-কাঁচালংকা বাটা, ২টি বড় আলু (সেদ্ধ করে ছোট ডুমো কাটা), ১টি বড় টম্যাটো (কুচোনো), ১ টেবিল চামচ ধনেপাতাকুচি, রুচিমতো নুন, ২$^{১}/_{২}$ টেবিল চামচ সাদা তেল।

প্রণালী: কড়ায় তেল গরম করে পেঁয়াজ ছাড়ুন। পেঁয়াজে একটু রং ধরলে টম্যাটো, আদা-কাঁচালংকা বাটা ও নুন দিন। টম্যাটো নরম হলে ফেটানো ডিম দিয়ে নাড়তে থাকুন। ডিম ভাজাভাজা হলে নামান। ধনেপাতা ছড়াবেন শেষে।

সেদ্ধ চিকেন, চিংড়ি বা অন্য যে কোনও সবজি অনুরূপভাবে ব্যবহার করা যাবে।

আলুর পুর

উপকরণ: ৪টি বড় আলু (সেদ্ধ করা), $^{১}/_{২}$ কাপ মটরশুঁটি সেদ্ধ, ২টি পেঁয়াজ (পাতলা স্লাইস করা), ১ ছড়া কারিপাতা, ২টি কাঁচালংকা কুচোনো, ২টি শুকনো লংকা টুকরো করা, ১ চা চামচ সরষে, ১ চা চামচ কোরানো আদা, $^{১}/_{২}$ চা চামচ হলুদ, ২ টেবিল চামচ সাদা তেল।

প্রণালী: সেদ্ধ আলুর খোসা ছড়িয়ে একটু মোটা করে চটকে নিতে হবে। কড়ায় তেল গরম করে সরষে ও কারিপাতা ফোড়ন দিন।

সেইসঙ্গে হলুদ, শুকনো লংকা ও আদা দিন। নেড়ে ভাজবেন।

পেঁয়াজ ও কাঁচালংকা দিয়ে নাড়ুন। পেঁয়াজ নরম হলে আলু, মটরশুঁটি ও নুন মেশান। সামান্য নেড়ে একটু জল ছিটিয়ে দিন। সব বেশ মিলেমিশে যাওয়া চাই।

ধনেপাতার চাটনি ছাড়া দোসা সম্পূর্ণ হয় না।

সবুজ নারকোলের চাটনি

উপকরণ: ১টি বড় গোছা ধনেপাতা, ১ কাপ নারকোল কোরা, ২ সেমি আদার টুকরো, ২টি কাঁচালংকা, ২ টেবিল চামচ গাঢ় তেঁতুল গোলা, ২ টেবিল চামচ অথবা রুচিমতো চিনি, রুচিমতো বিটনুন।

প্রণালী: ধনেপাতার শুধু পাতা নেবেন। ডাঁটা থাকলে চাটনি ছিবড়েমতো হয়ে যাবে। সব একসঙ্গে বেটে নিন। টক-মিষ্টির সমতা যেন ঠিক থাকে।

তেঁতুলের বদলে লেবুর রস ব্যবহার করা যাবে।

মিলিজুলি পরাঠা

এর সঙ্গে অতি অবশ্যই লস্যি অথবা ফল দেওয়া কোনও মিল্ক শেক দেবেন। আর সেই সঙ্গে আচার ও রায়তা থাকলে তো পুরো ব্রেকফাস্ট মেনু।

উপকরণ: ২ কাপ আটা, ১ টেবিল চামচ মাখন বা সাদা তেল, ১/২ চা চামচ নুন, ভাজবার জন্য সাদা তেল।

পুর: ১ চা চামচ সাদা তেল, ১ চা চামচ কোরানো আদা, ২টি কাঁচালংকা (মিহি কুচোনো), ১ কাপ কোরানো ব্রকোলি, ৬টি বেবি কর্ন (খুব মিহি

কুচোনো), রুচিমতো নুন, ১ কাপ কোরানো ছানা, $^3/_4$ চা চামচ চাট মশালা, $^1/_2$ চা চামচ চিনি।

পুর তৈরির প্রণালী: কড়ায় তেল গরম করে আদা ও কাঁচালংকা কুচি ফোড়ন দিন। ভাজার সুগন্ধ বেরোলে ব্রকোলি, বেবি কর্ন ও নুন দিয়ে ঢাকুন। জল বেরিয়ে জল শুকোলে ছানা ও চাট মশালা দিয়ে নামান। একটু ঠান্ডা হলে চিজ মেশান।

প্রণালী: ময়দাতে ময়ান ও নুন দিয়ে নরম করে মাখুন, ১০ ভাগে ভাগ করে নিন।

প্রতি ভাগে ১ ভাগ পুর ভরে গোল করে বেলুন; শুকনো আটা মাখিয়ে বেললে সুবিধে হবে। গরম চাটুতে প্রথমে শুকনো সেঁকে তারপর পাশ থেকে তেল ছড়িয়ে ভাজুন। ওপরে একটু মাখন ছড়িয়ে খেতে দিন।

দালিয়া

দালিয়া অর্থাৎ ভাঙা গম, পুষ্টিগুণে ভরপুর, এর সঙ্গে যে কোনও লস্যি খেলেই অনেকক্ষণ আর কিছু খাওয়ার দরকার হবে না।

উপকরণ: ১ কাপ দালিয়া, ২ টেবিল চামচ সাদা তেল, ১$^1/_2$ কাপ জল, $^1/_2$ কুচোনো নানারকম সবজি, ১ টেবিল চামচ সাদা তেল বা ঘি, $^1/_4$ কাপ সেদ্ধ মটরশুঁটি, নুন ও মরিচ আন্দাজমতো, ১ টিপ লংকা (না দিলেও চলে)।

প্রণালী: কুকারে তেল গরম করে দালিয়া দু'মিনিট ভেজে ১ কাপ জল দিয়ে বন্ধ করুন। পুরো প্রেশার আসার ঠিক আগে আঁচ বন্ধ করে দিন। কুকার নিজে থেকে ঠান্ডা হলে তবেই খুলবেন।

২২

ইতিমধ্যে ঘিয়ে সবজি সাঁতলে নিন। নিজের পছন্দসই যে কোনও তরকারি ব্যবহার করতে পারেন। $^1/_2$ কাপ জল দিয়ে সেদ্ধ করে নিন।

কুকার খুলে নেড়ে নিন। তাতে বাকি সব উপকরণ দিয়ে মেশান। গরম গরম খেতে দিন।

স্পাইসি টোস্ট

উপকরণ: ১০০ গ্রাম জল ঝরানো টকদই, ২ টেবিল চামচ কোরানো শশা, ২ টেবিল চামচ কোরানো গাজর, ১ টেবিল চামচ ধনেপাতাকুচি, $^1/_2$ চা চামচ কাসুন্দি, নুন ও মরিচ আন্দাজমতো, ১ টেবিল চামচ পছন্দসই বাদামকুচি, ৪ স্লাইস পাঁউরুটি, সঙ্গে দেবার জন্য দরকার মতো সেদ্ধ ব্রকোলি ও মটরশুঁটি।

প্রণালী: টকদই মসৃণ করে ফেটিয়ে তার সঙ্গে শশা, গাজর, ধনেপাতা, কাসুন্দি, নুন ও মরিচ মেশান, সেইসঙ্গে বাদামকুচি।

পাঁউরুটি হালকা করে টোস্ট করে নিয়ে ওপরে দইয়ের মিশ্রণ মাখান। সঙ্গে সেদ্ধ ব্রকোলি ও মটরশুঁটি সাজিয়ে দিন।

গ্রানোলা

আজকাল মিউসলির খুব চল। গ্রানোলাও ওই ধরনের ব্রেকফাস্ট। তৈরি করে কৌটোতে ভরে রাখুন।

উপকরণ: ২$^1/_2$ কাপ ওটস বা মুড়ি, ১ কাপ শুকনো নারকোল কোরা,

$^১/_৩$ কাপ চারমগজ, $^১/_৪$ কাপ সাদা তেল বা মাখন, $^১/_৪$ কাপ ব্রাউন সুগার বা চিনি, $^১/_৪$ কাপ মধু, ১$^১/_২$ চা চামচ ভ্যানিলা, ১ কাপ কিশমিশ, $^১/_২$ কাপ কাজুবাদাম কুচি, $^১/_৪$ কাপ সাদা তিল।

প্রণালী: শুকনো কড়ায় নারকোল কোরা, চারমগজ ও তিল হালকা করে নেড়ে নিন। শেষে মুড়ি বা ওটস দিয়ে একবার নেড়ে নামান।

একটি ছোট সসপ্যানে তেল বা মাখন, চিনি ও মধু একসঙ্গে আঁচে বসান, মাঝারি আঁচে নাড়ুন। সব মিলে গেলে নামিয়ে ভ্যানিলা মেশান।

মুড়ির মিশ্রণে বাদাম মেশান। মাখনের উষ্ণ মিশ্রণটি তাতে মেশান। ভাল করে নাড়ুন যাতে সব ভালভাবে মেখে যায়।

একটি তেলমাখানো বেকিং পাত্রে এই মিশ্রণটি চেপে চেপে ছড়িয়ে দিন। ১৫০° সে. তাপমাত্রায় আভেনে ১০ মিনিট বেক করুন।

একটু ঠান্ডা হলে প্যান থেকে বার করে পুরোপুরি ঠান্ডা করুন, টিনে রাখুন। ২ সপ্তাহ অবধি ঠিক থাকবে। দুধ, বা টকদই ও ফলের সঙ্গে খেতে দিন। শুধু শুধু চিবিয়ে খেতেও ভাল লাগে।

এক গ্লাসে ভরপেট

অনেক সময় রান্না করা ব্রেকফাস্ট খাবার সময় থাকে না। তখন এইটি খান। ছোটদের জন্যও খুব উপযোগী।

উপকরণ: ২০টি কাগজি বাদাম, ২০টি কাজুবাদাম, ৪টি শুকনো অঞ্জীর (ডুমুর), ১ টেবিল চামচ মাখন, ১ কাপ দালিয়া, ১ লিটার দুধ, চিনি বা মধু রুচিমতো।

প্রণালী: কাগজি বাদাম, কাজুবাদাম ও শুকনো ডুমুর এক রাত্ত ভিজিয়ে নিতে হবে। কাগজি বাদামের পাতলা খোসা ছাড়িয়ে সবকিছুর সঙ্গে মিহি কুচিয়ে নিন।

প্রেশার কুকারে মাখনটুকু গরম করে দালিয়া ১ মিনিট নেড়ে ২ $^{১}/_{২}$ কাপ দুধ দিয়ে ১০ মিনিট সেদ্ধ করে নিন।

একটু ঠান্ডা হলে সব উপকরণ একসঙ্গে ব্লেন্ড করে নিন। একবারে হয়তো হবে না। ২-৩ বারে করতে হবে।

ঠান্ডা বা ঈষদুষ্ণ দু'ভাবেই খাওয়া যায়। কিছু টাটকা ফলের কুচিও দিতে পারেন গ্লাসের ওপরে।

এতে ৪-৬ জন খেতে পারবেন।

চিজ অমলেট সুপ্রিম

ডিমের সাদা ও হলুদ অংশ আলাদা করার সময় সাবধান হতে হবে। সাদা অংশে যেন একটুও কুসুম না থাকে। আর ফেটাবার সময় ডিমের সাদা যেন ঘরের তাপমাত্রায় থাকে। নইলে ঠিকমতো ফেটবে না।

উপকরণ: ২ টেবিল চামচ মাখন, $^{১}/_{৪}$ কাপ কুচোনো ক্যাপসিকাম, $^{১}/_{৪}$ কাপ কুচোনো পেঁয়াজ, ৪টি ডিম (সাদা ও হলুদ অংশ আলাদা করা), $^{১}/_{৪}$ কাপ দুধ, নুন ও মরিচ আন্দাজমতো, $^{১}/_{২}$ কাপ সেদ্ধ চিকেনকুচি, $^{১}/_{২}$ কাপ কোরানো চিজ, ধনেপাতা ও পার্সলিকুচি সাজাবার জন্য।

প্রণালী: ১ টেবিল চামচ মাখনে ক্যাপসিকাম ও পেঁয়াজ নরম করে ভাজুন; তুলে রাখুন।

ডিমের কুসুম, দুধ, নুন ও মরিচ ভালভাবে ফেটাতে হবে। চিকেন ও ভাজা সবজি মেশান। ডিমের সাদা আলাদাভাবে শক্ত করে ফেটিয়ে মেশাতে হবে হালকা হাতে।

একটি ১০ ইঞ্চি স্কিলেটে বাকি মাখন গরম করে ডিমের মিশ্রণ ঢালুন। খানিকটা জমলে জমা অংশ তুলে প্যান ধরে ঘোরান যাতে ওপরের তরল অংশ নীচে চলে যেতে পারে। ৩ মিনিট তেজ আঁচে ভাজুন। নীচের দিক বেশ ভাল ভাজা হবে ও ওপরটি নরম থাকবে— তবে কাঁচা নয়।

১/৪ কাপ কোরানো চিজ ছড়িয়ে অর্ধেক অমলেট দিয়ে ঢেকে দিন। প্লেটে তুলে বাকি চিজ ও পার্সলিকুচি ছড়ান। ২ ভাগে কেটে খেতে দিন। ১টি অমলেট করতে অসুবিধে হলে ২টি ছোট অমলেট তৈরি করে নিন।

চিকেনের বদলে হ্যাম বা সসেজ ব্যবহার করা যাবে।

মোমো

কলকাতায় সান ইয়াত সেন স্ট্রিটে রোজ ভোরে চাইনিজ ব্রেকফাস্টের মেলা বসে। সেখানে এই মোমোটি বিখ্যাত।

উপকরণ:

মোমো: ১ কাপ ময়দা, ১ টেবিল চামচ তেল, রুচিমতো নুন।

পুর: ৩-৪ কাপ কিমা, ৩-৪ কাপ খুব মিহি কুচি পেঁয়াজ, ২ টেবিল চামচ মিহি কুচোনো ক্যাপসিকাম, ২ টেবিল চামচ কাঁচালংকা কুচি, ১ চা চামচ রসুন কুচি, রুচিমতো নুন, ১ টেবিল চামচ লেবুর রস, ১ টেবিল চামচ ধনেপাতাকুচি।

সুপ: ৪ কাপ জল, ২টি টেংরির হাড়, ১ টি ছোট গাজর কুচোনো, ৪টি বিন, ২ টুকরো ক্যাপসিকাম, ১টি ছোট পেঁয়াজ।

চাটনি: ১/২ কাপ ধনেপাতাকুচি, ৫-৬টি পুদিনাকুচি, ৪টি পাকা টম্যাটো, ১ টেবিল চামচ মিহি কুচি ক্যাপসিকাম, ৪টি অথবা রুচিমতো কাঁচালংকা, ১ টেবিল চামচ বিচি ছাড়ানো তেঁতুল, ১ টেবিল চামচ সরষের তেল, রুচিমতো নুন ও চিনি।

প্রণালী:

মোমো: ময়দাতে তেলের ময়ান ও নুন দিয়ে মেখে নিন লুচির ময়দা মাখার মতো। ছোট ছোট করে লেচি কেটে পাতলা করে বেলে নিন। মধ্যে পুর ভরে পেরাকির মতো অর্ধচন্দ্রকারে গড়ে নিতে হবে। ধারগুলি সুন্দরভাবে মুড়ে নিন। মোমো অনেকভাবেই গড়া যায়। এটিই সবচেয়ে সোজা।

একটি ডেকচিতে সুপের সব উপকরণ বসিয়ে ফুটতে দিন। ১০ মিনিট ফুটলে ওপরে একটি ঝাঁঝরি বসান। তার ওপর মোমো রেখে ঢাকা দিন। ২০ মিনিট রাখলেই মোমো হয়ে যাবে। মধ্যে একবার উলটে দেবেন।

মোমো হয়ে গেলে নামান। ডেকচির স্টক ছেঁকে সুপ হিসেবে সঙ্গে দেবেন। এবং সেইসঙ্গে চাটনি।

পুর: কিমা, পেঁয়াজ, ক্যাপসিকাম, কাঁচালংকা, রসুন নুন, লেবুর রস ও ধনেপাতা সব একসঙ্গে মেখে ঘণ্টাখানেক রেখে দিন। এতে সয়াসসও দিতে পারেন।

চাটনি: ধনেপাতা, পুদিনা, কাঁচালংকা, টম্যাটো, ক্যাপসিকাম ও তেঁতুল একসঙ্গে বাটুন। তারপর কাঁচা সরষের তেল, নুন ও চিনি মেশান । এটি বেশ ঝাল হয়।

ব্রাঞ্চ

মেনু ১: কেজরি, স্যালাড রিং, কফি শেক

কেজরি

খিচুড়ির সাহেবি অপভ্রংশ হল 'কেজরি' যদিও এক চাল ছাড়া আর কোনওই মিল নেই খিচুড়ির সঙ্গে, তবে খেতে ভাল।

উপকরণ: ৩ কাপ তৈরি ভাত, ৩ টেবিল চামচ মাখন বা সাদা তেল, ২ কাপ সেদ্ধ মাছের কুচি, নুন ও মরিচ রুচিমতো, ১টি সেদ্ধ ডিম, ১ টেবিল চামচ কুচোনো পার্সলি।

প্রণালী: মাখন বা তেল (বা দুটি আধাআধি) কড়ায় গরম করে ভাত ও মাছ একসঙ্গে নাড়ুন। শুকনো মনে হলে একটু দুধ দেবেন। নুন, মরিচ ও সেদ্ধ ডিমের সাদা অংশ কুচিয়ে মেশান।

নামিয়ে ওপরে ডিমের কুসুম ও পার্সলিপাতা ছড়িয়ে দিন।

এতে আধকাপ কোরানো চিজ দেওয়া যেতে পারে। একটু স্বাদের জন্য লেবুর রস ও কাঁচালংকা কুচি দিতে পারেন।

স্যালাড রিং

উপকরণ: ১ টেবিল চামচ জিলেটিন, ২ টেবিল চামচ জল, ২-৩ কাপ স্টক, ১ টেবিল চামচ লেবুর রস, ১/২ কাপ হ্যাম বা সেদ্ধ চিকেনের টুকরো, ১/২ কাপ কোরানো চিজ, ৪টি সেদ্ধ ডিম স্লাইস করা, ১চা চামচ লেবুর রস, কয়েকটি লেটুস পাতা, ১/২ কাপ মেয়োনেজ।

প্রণালী: জলে জিলেটিন ভিজিয়ে রাখুন ১৫ মিনিট। দেখবেন, স্পঞ্জের মতো ফুলে উঠবে। স্টক ফুটিয়ে তাতে ভেজা জিলেটিন মেশান। জিলেটিন গলে গেলে নামান। ঠান্ডা হলে লেবুর রস মেশান।

এই মিশ্রণে মেয়োনেজ, হ্যাম বা চিকেন, চিজ, শশা ও ডিমের টুকরো মেশান।

মোল্ডে ভরুন। তার আগে মোল্ডে সামান্য তেল মাখিয়ে নেবেন। ফ্রিজে রাখুন ২-৩ ঘণ্টা, জমে যাবে।

স্যালাড স্ল্যাটারে লেটুসপাতা বিছিয়ে তার ওপর মোল্ড উপুড় করে বার করে নিন।

কফি শেক

উপকরণ: ২ কাপ আইসক্রিম (ভ্যানিলা, কফি বা চকোলেট), ৫ কাপ দুধ, ১ চা চামচ ভ্যানিলা, ১/৪ কাপ কফি, ১ চা চামচ কোকো পাউডার, চকোলেট চিপস সাজাবার জন্য।

প্রণালী: ১ চা চামচ কফি ও ১/৪ কাপ জল দিয়ে কফি তৈরি করে নেবেন।

চকোলেট চিপস ছাড়া বাকি সব উপকরণ একসঙ্গে ব্লেন্ডারে দিয়ে ঘুরিয়ে নিন।

গ্লাসে বরফকুচি দিয়ে ওপরে ঢেলে দিন। শেষে চকোলেট চিপস দিয়ে সাজান।

মেনু ২: প্যানকেক, সেসামি চিকেন ফ্রাই, গ্রেপ স্লো

প্যানকেক

দুধ ও জল মিশিয়ে তৈরি করলে খুব হালকা ও জালি জালি প্যানকেক হবে। রেখে দিলে গোলা গাঢ় হয়ে যেতে পারে। তখন একটু জল মিশিয়ে পাতলা করে নেবেন।

উপকরণ: ১ কাপ ময়দা, ১ টিপ নুন, ১ টিপ বেকিং পাউডার, ২টি ডিম, ৩-৪ কাপ দুধ, $^1/_2$ কাপ জল, ১ টেবিল চামচ সাদা তেল।

প্রণালী: ময়দা, নুন ও বেকিং পাউডার একসঙ্গে চেলে নিয়ে একটি বাটিতে রাখুন। মধ্যে গর্ত করে দুধ ও জল দিয়ে ফেটান। মসৃণ গোলা চাই। ইলেকট্রিক বিটার দিয়ে কাজটি খুব সহজেই করা যাবে।

এবার ডিম ও তেল দিয়ে আবার ভাল করে ফেটিয়ে আধঘণ্টা ঢাকা দিয়ে রাখুন।

একটি নন-স্টিক ফ্রাইংপ্যানে আধ চামচ তেল মাখিয়ে গরম করুন। এই আন্দাজে ৮-১০টি প্যানকেক হবে। সেই বুঝে গোলা ঢালুন। তখুনি প্যান ধরে ঘুরিয়ে দিন যাতে ব্যাটার গোল হয়ে ছড়িয়ে যায়।

৩০

একটু হতে দিন। ওপরে ফুটো ফুটো দেখা যাবে। উলটে আর সামান্য ভাজুন। আর তেল লাগবে না। এইভাবে সবকটি ভেজে নিন।

এতে নিজের ইচ্ছেমতো যে কোনও পুর দেওয়া যাবে— মাছ, মাংস, পনির নানারকম সবজি যা হয়।

এমনকী ব্যাটারে একটু চিনি মিশিয়ে মিষ্টি প্যানকেকও বানানো যায়। ওপরে চকোলেট সস ছড়িয়ে খেতে দারুণ।

সেসামি চিকেন ফ্রাই

উপকরণ: ১২টি ক্রিম ক্র্যাকার বিস্কুট (গুঁড়ো করা), ২ টেবিল চামচ সাদা তিল, $^1/_2$ চা চামচ লংকা গুঁড়ো, $^1/_2$ চা চামচ নুন, ৮ টুকরো চিকেন, ২ টেবিল চামচ ময়দা, ১টি ডিম (ফেটানো), ৪ টেবিল চামচ সাদা তেল।

চিকেন হাড়ছাড়া অথবা হাড়শুদ্ধ যা ইচ্ছে ব্যবহার করা চলে।

প্রণালী: বিস্কুটের গুঁড়ো, তিল, লংকা গুঁড়ো ও নুন একসঙ্গে মিশিয়ে নিন।

চিকেনে ময়দা মাখিয়ে ফেটানো ডিমে ডুবিয়ে বিস্কুটের গুঁড়ো মাখান। ভাল করে চেপে চেপে মাখাবেন।

একটি আভেনপ্রুফ ডিশে অর্ধেক তেল গরম করে চিকেনের টুকরো পাশাপাশি সাজান। ওপরে বাকি তেল দিন। ২০০° সে. উত্তাপে চিকেন বেক করুন ৩০-৩৫ মিনিট। মধ্যে একবার উলটে দেবেন।

বিস্কুটের বদলে কর্নফ্লেকস গুঁড়োও ব্যবহার করা চলবে।

গ্রেপস্ ইন স্নো

উপকরণ: ৩ কাপ কালো ও সবুজ আঙুর, $^{১}/_{২}$ কাপ গাঢ় টক দই, ১ কাপ ক্রিম, ১$^{১}/_{২}$ কাপ ব্রাউন সুগার বা চিনি, ২ টেবিল চামচ অরেঞ্জ স্কোয়াশ।

প্রণালী: আঙুরগুলি দু টুকরোয় কেটে নিতে হবে। আঙুরের ওপর অরেঞ্জ স্কোয়াশ ঢেলে রাখুন।

ক্রিম হালকা হাতে ফেটিয়ে নিন। দইও আলাদাভাবে ফেটিয়ে ক্রিমের সঙ্গে মেশান।

আঙুরের ওপর ক্রিমের মিশ্রণ ঢালুন। ওপরে চিনি ছড়ান, ফ্রিজে রাখুন। একরাতও রাখা যাবে।

ছোট ছোট বাটিতে ঢেলে খেতে দিন।

একইভাবে অন্য যে কোনও ফল বা স্কোয়াশ দিয়ে এই মিষ্টিটি বানানো যাবে।

মেনু ৩: ব্ল্যাক ফরেস্ট স্মুদি, হ্যাম রেয়ারবিট, গাজরের স্যালাড

ব্ল্যাক ফরেস্ট স্মুদি

উপকরণ: দুটি কলা (কুচোনো), ২ কাপ ঠান্ডা দুধ, $^{১}/_{২}$ কাপ গাঢ় টক দই, ২ টেবিল চামচ কোরানো চকোলেট অথবা চকোলেট চিপস, ২ টেবিল চামচ মধু, ৪ টেবিল চামচ কর্নফ্লেকস, ২ টেবিল চামচ কুচোনো যে কোনও বাদাম।

সাজাবার জন্য: প্রতি গ্লাসে ১ টেবিল চামচ ফেটানো ক্রিম ও ২টি টিনের চেরি।

প্রণালী: ব্লেন্ডারে কলা, দুধ, টক দই, চকোলেট ও মধু একসঙ্গে মসৃণ করে ব্লেন্ড করুন। কটি বরফের টুকরোও দেবেন।

৪টি লম্বা গ্লাসে ঢেলে ওপর থেকে কর্নফ্লেকস ও বাদাম ছড়ান, শেষে ফেটানো ক্রিম ও চেরি দিয়ে সাজিয়ে খেতে দিন।

হ্যাম রেয়ারবিট

উপকরণ: ৪টি বড় টুকরো পাউরুটি, ৪ স্লাইস হ্যাম, ৫টি ডিম, ১৫০ গ্রাম কোরানো চিজ, ৪ টেবিল চামচ মাখন, ২ টেবিল চামচ দুধ, ১ চা চামচ ওয়ার্স্টারশায়ার সস, ১ চা চামচ সরষে গুঁড়ো বা কাসুন্দি, নুন ও মরিচ আন্দাজমতো।

প্রণালী: অর্ধেক মাখন, চিজ, ১টি ডিম, ওয়ার্স্টারশায়ার সস, দুধ, সরষে, নুন ও মরিচ একসঙ্গে মেশান।

পাউরুটির একদিক টোস্ট করে উলটোদিকে ১টি করে হ্যামের স্লাইস রাখুন। তার ওপর বাকি মাখন মাখিয়ে চিজের মিশ্রণ সমান ভাগ করে ছড়িয়ে দিন। এইদিকটি এবার সোনালি করে গ্রিল করে নিন।

বাকি ডিম কটি পোচ করে নিন। প্রতিটি পাউরুটির ওপর ১টি করে ডিম রেখে তক্ষুনি খেতে দিন।

হ্যামের বদলে সালামিও ব্যবহার করা যাবে।

গাজরের স্যালাড

ভিটামিন সমৃদ্ধ এই স্যালাডটি সার্ভ করলে পুরো মেনু হবে ও সন্তুলিত আহারও হবে।

উপকরণ: ৪টি ছোট গাজর (কোরানো), ১টি আপেল (খোসা ছাড়িয়ে, মিহি কুচোনো), ২ টেবিল চামচ লেবুর রস, ১টি কমলালেবু (কোয়া ছাড়ানো)।

ড্রেসিং: ২ টেবিল চামচ চিজ বা ছানা কোরানো, ১ টেবিল চামচ টক দই, ১ টেবিল চামচ ধনেপাতা কুচি, ১ টিপ কাশ্মীরি লংকাগুঁড়ো, নুন ও মরিচ রুচিমতো।

প্রণালী: গাজর ও আপেল একসঙ্গে মিশিয়ে অর্ধেক লেবুর রস মেশান। এবার কমলালেবু মেশান। ঠান্ডা হতে দিন।

ড্রেসিং: সব উপকরণ একসঙ্গে মেশাতে হবে।

ছোট ছোট বাটিতে গাজরের মিশ্রণ ঢেলে একটু করে ড্রেসিং দিয়ে খেতে দিন।

রোজের ডিনার

মেনু ১: মুরগি ভাত, আনারসের রায়তা, রসগোল্লা ফ্লোট।

মুরগি ভাত

মুরগি ও ভাত আলাদা আলাদাভাবে আগের দিন তৈরি করে রাখা যাবে। পরে সাজিয়ে নিয়ে দমে বসালেই হল।

উপকরণ: ১২ টুকরো চিকেন, ১ $^{১}/_{২}$ কাপ ফেটানো টক দই, ১ $^{১}/_{২}$ টেবিল চামচ তন্দুর মশলা, ৪ টেবিল চামচ সাদা তেল, ১ চা চামচ রসুনবাটা, ১ টেবিল চামচ গরম মশলা, থেঁতো করা ২টি বড় পেঁয়াজ (পাতলা গোল কাটা), ১টি বড় ক্যাপসিকাম (সরু লম্বা কাটা), ১ কাপ সেদ্ধ মটরশুঁটি, ৩ কাপ তৈরি ভাত, একমুঠো কাজুবাদাম, একমুঠো কিশমিশ, রুচিমতো নুন।

প্রণালী: চিকেনে ১ কাপ টক দই ও তন্দুর মশলা দিয়ে ৪-৫ ঘণ্টা ভিজিয়ে রাখুন। একরাতও রাখা যাবে।

ডেকচিতে ৩ টেবিল চামচ তেল গরম করে রসুনবাটা দিয়ে ভাজুন। কাঁচা গন্ধ চলে গেলে থেঁতো করা গরম মশলা দিয়ে নাড়ুন। এবার পেঁয়াজ দিয়ে হালকা সোনালি করে ভাজতে হবে। মশলাসুদ্ধ চিকেন ও নুন দিয়ে নাড়ুন।

জল শুকোলে জল দিয়ে সেদ্ধ হতে দিন। ৫ মিনিট প্রেশার কুকারেও রাঁধা যাবে।

বাকি তেলে ক্যাপসিকাম নাড়ুন, ক্যাপসিকাম চকচক করলে মটরশুঁটি দিয়ে একটু নেড়ে সামান্য নুন ও মরিচ দিয়ে নামান।

এবার ডেকচিতে একটু ঘি মাখান। ভাত তিনভাগে ভাগ করে নিতে হবে। একভাগে ডেকচিতে সাজিয়ে ওপরে অর্ধেক চিকেন ছড়িয়ে, অর্ধেক ক্যাপসিকাম ও মটরশুঁটি দিন। এবার বাকি ফেটানো দই (এতে ১ চামচ চিনি, ও ১/২ চামচ গরম মশলা গুঁড়ো মেশাতে পারেন) ও কাজু-কিশমিশ ছড়িয়ে দিন। এইভাবে আর একবার সাজান। সবার শেষে বাকি ভাত দিয়ে ঢেকে দিন। ইচ্ছে হলে ওপরে জাফরান মেশানো দুধ ছেটানো যেতে পারে। এবার দমে বসাতে হবে ১৫-২০ মিনিট।

আনারসের রায়তা

উপকরণ: আধ কেজি টক দই, ৫০ মিলি দুধ বা ক্রিম, ১ বড় টিন আনারস, বিটনুন, চিনি ও নুন রুচিমতো, সাজাবার জন্য বেদানা ও আঙুর।

শুকনো ভেজে গুঁড়ো করুন: ১/২ চা চামচ ধনে, ১/২ চা চামচ জিরে, ১০টি গোলমরিচ, ২টি শুকনো লংকা।

প্রণালী: টক দই ন্যাকড়ায় বেঁধে টাঙিয়ে রাখবেন ২ ঘণ্টা। এবার দই ফেটিয়ে দুধ বা ক্রিম মিশিয়ে নিন। আনারস কুচিয়ে নিন।

দইয়ের সঙ্গে বাকি সব উপকরণ মিশিয়ে ঠান্ডা করে খেতে দিন। বেদানা ও আঙুর দিয়ে সাজিয়ে দেবেন।

রসগোল্লা ফ্লোট

উপকরণ: ১০টি রসগোল্লা, ৬ কাপ ভ্যানিলা আইসক্রিম, ২ টেবিল চামচ বাদামকুচি, চকোলেট সিরাপ। এই রেসিপির সব উপকরণই কেনা।

প্রণালী: নীচে আইসক্রিম রেখে ওপরে রসগোল্লা ২ টুকরোয় কেটে সাজিয়ে ওপরে চকোলেট সিরাপ ছড়িয়ে দিন। আইসক্রিম গলে গেলে ক্ষতি নেই। তবে ঠান্ডা থাকা চাই।

মেনু ২: হাতে গড়া রুটি, হরাভরা চিকেন, ফুলকপির ভেটিল, বেকড সন্দেশ।

হরাভরা চিকেন

উপকরণ: ২ টেবিল চামচ সাদা তেল, গরম মশলা (প্রতিটি ২টি করে), ২টি তেজপাতা, ৪টি কাঁচালংকা (চেরা), ৭০০ গ্রাম চিকেন (ছোট টুকরো করা), ১ কাপ ছাড়ানো মটরশুটি, ৩টি গাছ পেঁয়াজ (কুচোনো), ১টি বড় পেঁয়াজ (গোল চাকা চাকা করে কাটা), রুচিমতো নুন, ১ চা চামচ কাঁচা তেঁতুলের রস, ১ টেবিল চামচ থেঁতো করা মরিচ, একমুঠো ধনেপাতাকুচি।

একসঙ্গে বাটতে হবে: ১টি বড় পেঁয়াজ, ১টি বড় সবুজ ক্যাপসিকাম, ২ সেমি আদা, ৪ কোয়া রসুন, ১টি কাঁচালংকা।

প্রণালী: তেল গরম করে গরম মশলা, তেজপাতা ও কাঁচালংকা ফোড়ন দিন। ফোড়নের গন্ধ বেরোলে চিকেন দিন। ৩-৪ মিনিট নেড়ে বাটা মশলা দিতে হবে। মাঝারি আঁচে নাড়তে থাকুন।

৩৭

খানিকটা কষা হলে মটরশুটি, গাছ পেঁয়াজ (সবুজ অংশও কুচিয়ে দেবেন) ও পেঁয়াজ দিন, সেইসঙ্গে নুন। ঢাকা দিয়ে কম আঁচে হতে দিন। প্রয়োজন হলে সামান্য গরম জল দেবেন। কম আঁচে ঢেকে ঢেকে রাঁধুন।

চিকেন ও মটরশুটি সেদ্ধ হলে কাঁচা তেঁতুলের রস (সেদ্ধ করে রস বার করতে হবে), মরিচ ও ধনেপাতা দিন। সব বেশ ভালভাবে মিশে একেবারে গা মাখা ঝোল চাই। ওপর থেকে আরও ধনেপাতাকুচি, কাঁচালংকা ও ক্যাপসিকাম কুচি ছড়িয়ে পরিবেশন করা যেতে পারে।

ফুলকপির ভেটিল

উপকরণ: ১টি ছোট আস্ত ফুলকপি, ২ টেবিল চামচ সরষের তেল, ২টি বড় টমেটো (কোরানো), $^{১}/_{২}$ চা চামচ হলুদ, রুচিমতো নুন, ১ চা চামচ চিনি, ২০টি কিশমিশ, $^{১}/_{২}$ কাপ ধনেপাতাকুচি।

একসঙ্গে বাটুন: ২টি বড় পেঁয়াজ, ২.৫ সেমি আদা, ২ কোয়া রসুন, ১ কাপ কুচো চিংড়ি, ১-২টি কাঁচালংকা।

প্রণালী: ফুলকপির গোড়া চেঁছে ফেলুন। আস্ত কপি নুন-জলে ৫ মিনিট ভাপিয়ে জল ঝরিয়ে নিন।

পুর: তেলে টম্যাটো, হলুদ, নুন, চিনি, কিশমিশ ও বাটা মশলা দিয়ে কষতে থাকুন, সব বেশ ভাজাভাজা হলে নামান।

কপির জল পুরোপুরি ঝরিয়ে ফেলে কপির ফাঁকে ফাঁকে মশলা ভরুন, ক্যাকারে সেপারেটরের ওপর রেখে নিচে একটু জল দিন। ৫ মিনিট রাখুন। বার করে ফেলুন।

ওপরে কাজু, কিশমিশ ও ধনেপাতা ছড়িয়ে কেটে কেটে খেতে দেবেন। এটি মাইক্রোওয়েভে রাঁধা যাবে।

বেকড সন্দেশ

বাড়িতে তৈরি ছানা হলেই ভাল এবং ফুল ক্রিম দুধের ছানায় বেশি ভাল স্বাদ হয়।

উপকরণ: আধ কেজি টক দই, ২৫০ গ্রাম চটকানো ছানা, ১ কাপ চিনি, (গুঁড়ো করা বা রুচিমতো), ১ চা চামচ ভ্যানিলা, ২ টেবিল চামচ পেস্তাকুচি, সাজাবার জন্য তবক ও বেদানার দানা।

প্রণালী: টক দই ন্যাকড়ায় বেঁধে ঘণ্টা চারেক টাঙিয়ে রাখতে হবে যাতে একটুও জল না থাকে।

টক দই, ছানা, গুঁড়ো চিনি ও ভ্যানিলা একসঙ্গে ব্লেন্ড করুন, একেবারে মিলেমিশে মসৃণ হওয়া চাই। পেস্তাকুচি মেশান। অবশ্য বাদও দেওয়া চলে।

একটি বেকিং ডিশে মাখন মাখিয়ে মিশ্রণটি ঢালুন। ১৬০° সে. উত্তাপে বেক করুন ২৫-৩০ মিনিট।

ফ্রিজে রেখে একেবারে ঠান্ডা করে তবক ও বেদানা দিয়ে সাজিয়ে দিন।

মেনু ৩: রুমালি রোটি, কিমা তড়কা, কাচুম্বর, বিস্কিট-জামুন।

কিমা তড়কা

'তড়কা' অর্থাৎ খোসাশুদ্ধ আস্ত মুগের ডাল— এই রান্নাটি পশ্চিমবঙ্গে অত্যন্ত জনপ্রিয়। রাস্তার ধারে ছোট-বড় নানান খাবার জায়গায় তড়কা পাওয়া যাবেই। বিখ্যাত পাঁচতারা হোটেলের 'ডাল বুখারা'— এই রান্নাটির উৎস। খেতে সত্যিই খুবই উপাদেয়।

তড়কা কিমা ছাড়া ডিম দিয়েও খুব ভাল হয়। একেবারে শেষে ডিম ভেঙে ডালে ছেড়ে ভাল করে নাড়তে হবে। তবে ডাল চিকেন স্টক দিয়ে না রাঁধলে ঠিক স্বাদ হয় না।

উপকরণ: ২৫০ গ্রাম খোসাশুদ্ধ আস্ত মুগের ডাল, ৩ কাপ চিকেন স্টক, ২টি বড় পেঁয়াজ, ২টি বড় টম্যাটো, ২টি কাঁচালংকা, ২ টেবিল চামচ সাদা তেল, ১ টেবিল চামচ কোরানো আদা, ১ টেবিল চামচ রসুনকুচি, ১/২ চা চামচ হলুদ, ২০০ গ্রাম কিমা, রুচিমতো নুন, ১/৪ কাপ ক্রিম বা দুধের সর (না দিলেও হবে), ২ টেবিল চামচ টম্যাটো পিউরি।

প্রণালী: ডাল ৪-৬ ঘণ্টা জলে ভিজিয়ে জল ঝরিয়ে নিন। ২ কাপ স্টক দিয়ে ২০ মিনিট প্রেসার কুক করুন। স্টক না থাকলে জল দিন।

পেঁয়াজ, টম্যাটো ও কাঁচালংকা কিমার মতো কুচিয়ে নিতে হবে।

কড়ায় তেল গরম করে পেঁয়াজ, টম্যাটো, আদা, রসুন ও কাঁচালংকা দিয়ে ভাজুন। একটু নুনও দেবেন। সব বেশ মিশে থকথকে হলে টমেটো পিউরি দিয়ে ১ মিনিট নাড়ুন।

এবার কিমা ও হলুদ দিয়ে কষুন। ভালভাবে কষা হলে বাকি এককাপ

স্টক দিয়ে ১০ মিনিট কুকারে রাঁধুন।

কিমা ও ডাল একসঙ্গে বসান কড়ায়। ফুটতে দিন। সব বেশ ফুটে গাঢ় হলে নামান। ওপরে ক্রিম ছড়িয়ে খেতে দিন।

কাচুম্বর

উপকরণ: ১টি বড় পেঁয়াজ, ১টি বড় টম্যাটো, ১টি কাঁচালংকা, ১টি বড় শশা, ১ কাপ ধনেপাতাকুচি, ১টি পাতিলেবুর রস, নুন ও মরিচ আন্দাজমতো, ১ কাপ বেদানা।

প্রণালী: পেঁয়াজ, টমেটো, শশা ও কাঁচালংকা সব ছোট্ট ডুমো করে কাটতে হবে। ধনেপাতা, লেবুর রস, নুন ও মরিচ মিশিয়ে দিন। এতে চিনেবাদামও দেওয়া যায়।

ওপরে বেদানা ছড়িয়ে খেতে দেবেন।

বিস্কিট জামুন

উপকরণ: ২ টেবিল চামচ মাখন বা ঘি, ১ $^{১}/_{২}$ কাপ কুচোনো চিনেবাদাম, $^{১}/_{৪}$ কাপ চিনি, ২ প্যাকেট হরলিক্স জাতীয় যে কোনও মিষ্টি বিস্কুট, ৬টি বড় গুলাবজামুন, ১টি বাটার স্কচ আইসক্রিম ব্রিক বা ৬টি কাপ।

চকো-কফি সস: ১ $^{১}/_{২}$ কাপ জল, ১ $^{১}/_{২}$ টেবিল চামচ কোকো পাউডার, $^{১}/_{২}$ টেবিল চামচ কফি পাউডার, $^{১}/_{২}$ কাপ চিনি, ১ টেবিল চামচ কর্নফ্লাওয়ার।

প্রণালী: মাখন বা ঘি একটি ফ্রাইং প্যানে গরম করে চিনেবাদাম ও চিনি মেশান। চিনি গলে সামান্য লালচে হলে সবটি একটি তেল মাখানো থালায় ঢালুন।

ঠান্ডা হলে ভেঙে টুকরো করুন। বাজার থেকে কেনা তক্তিও চলবে।

বিস্কুটের গুঁড়ো ও গুলাবজামুনগুলি টুকরো করে একসঙ্গে মেশান।

তেল মাখানো কাচের পুডিং ডিশের নীচে ছড়িয়ে রাখুন। একটু চেপে চেপে দেবেন। ওপরে আইসক্রিম স্কুপ দিয়ে তুলে রাখুন বা টুকরো করে সাজান। তার ওপরে চকো কফি সস ছড়ান। শেষে চিনেবাদামের টুকরো ছড়িয়ে খেতে দিন।

চকো-কফি সস: জল সসপ্যানে গরম করে কোকো, কফি পাউডার ও চিনি দিন। নাড়তে থাকুন সমানে যাতে সব মিশে যায়।

ফুটে উঠলে আঁচ কমিয়ে নাড়ুন। চিনি গলে গেলে কর্নফ্লাওয়ার ২ টেবিল চামচ জলে গুলে ঢালুন। সমানে নাড়তে হবে। মিশ্রণ একটু গাঢ় হলে নামান।

এর বদলে বাজার থেকে কেনা চকোলেট সিরাপও ব্যবহার করা যেতে পারে।

মেনু ৪: পাস্তা পাই, কটেজ চিকেন, বানানা রোল

পাস্তা পাই

উপকরণ: ২ কাপ সেদ্ধ পাস্তা, ১ প্যাকেট শুকনো সুপ মিক্স (চিকেন বা টমেটো), ১/২ কাপ সেদ্ধ সবজির টুকরো, ৩টি সেদ্ধ ডিম, টুকরো করা, নুন

ও মরিচ রুচিমতো, ১ কাপ কর্নফ্লেকস, ২টি চিজ কিউব (গ্রেট করা)।

প্রণালী: পাস্তা ছোট আকারের হতে হবে। এবং রঙিন হলে দেখাবে ভাল।

সুপের প্যাকেট থেকে নিয়মমতো সুপ তৈরি করতে হবে, তবে জল দেবেন অর্ধেক; ৫ মিনিট ফুটিয়ে নেবেন।

সুপের সঙ্গে সবজির টুকরো, ডিমের টুকরো ও সেদ্ধ পাস্তা মেশান। তেলমাখানো বেকিং পাত্রে ঢালুন। কর্নফ্লেকস দিয়ে ঢাকুন। শেষে চিজ দিন। ওপরে আরও একটু মাখন ছড়ান।

১০ মিনিট বেক করুন ২০০° সে. আভেনে। ডিমের বদলে চিংড়িমাছ বা সেদ্ধ চিকেনের টুকরো ব্যবহার করা চলবে।

কটেজ চিকেন

উপকরণ: ২৫০ গ্রাম চিকেন কিমা, ১ টেবিল চামচ সাদা তেল, ১ চা চামচ রসুনকুচি, ১টি বড় পেঁয়াজ (মিহি কুচোনো), ১ চা চামচ চিনি, নুন ও মরিচ রুচিমতো, ১টি শশা (কুচোনো), ১ কাপ সেদ্ধ মটরশুঁটি, ১টি টমেটো (কুচোনো), ১ গোছা লেটুসপাতা, যে কোনও পছন্দসই স্যালাড ড্রেসিং।

প্রণালী: কিমা সেদ্ধ করে নিতে হবে।

তেলে রসুনকুচি দিয়ে নাড়ুন। কাঁচা গন্ধ চলে গেলে পেঁয়াজকুচি দিন। পেঁয়াজ লালচে হলে চিনি, নুন ও মরিচ দিয়ে নেড়ে চিকেন দিয়ে ভাল করে মিশিয়ে নামান।

একটি বাটিতে লেটুসপাতা বেছান। ওপরে চিকেনের মিশ্রণ ঢালুন।

চারপাশে বাকি সবজি সুন্দর করে সাজান। ওপরে স্যালাড ড্রেসিং ছড়িয়ে দিন।

বানানা রোল

উপকরণ: ৫টি বড় পাকা কলা, ২ কাপ নারকেল কোরা, ১ কাপ গুঁড়ো চিনি, ১ চা চামচ ভ্যানিলা, ২ টেবিল চামচ নানারকম বাদামকুচি, ৫ চা চামচ মাখন। কলা পাকা চাই তবে একটু শক্তমতো। বেশি পাকা হলে চলবে না।

প্রণালী: কলার খোসা সাবধানে ছাড়িয়ে নিন। কলা মধ্যে থেকে চিরে নিন। নারকেল, চিনি ও ভ্যানিলা একসঙ্গে মিশিয়ে কলার মধ্যে ভরুন। ওপরে ১ চামচ মাখন ছড়িয়ে দিন। খোসা দিয়ে ঢাকুন কলাগুলি আবার।

১৬০° সে. আভেনে বেক করুন ১৫-২০ মিনিট। খোসা ছাড়িয়ে ২ টুকরো করে কেটে ওপরে বাদামকুচি ছড়িয়ে খেতে দিন। ঠান্ডা বা গরম দুভাবেই খাওয়া চলবে।

মেনু ৪: গার্লিক ব্রেড, কালি মির্চ কা গোস্ত, নিরামিষ ঝাল ফ্রেজি, কোকোনাট কাস্টার্ড।

গার্লিক ব্রেড কিনে নেবেন।

কালি মির্চ কা গোস্ত

উপকরণ: ২ টেবিল চামচ সাদা তেল, ২৫০ গ্রাম পেঁয়াজ কুচোনো, রুচিমতো নুন, আধ কেজি মাংস, ৪টি চেরা কাঁচালংকা, ২ টেবিল চামচ টক দই, ২ টেবিল চামচ ভরা ভরা টাটকা গুঁড়োনো গোলমরিচ, ১/২ চা চামচ চিনি, সাজাবার জন্য ১ কাপ সেদ্ধ মটরশুঁটি।

প্রণালী: তেলে পেঁয়াজকুচি ছাড়ুন। নাড়তে থাকুন নুন দিয়ে। পেঁয়াজ বেশ স্বচ্ছ মতো হলে মাংস দিয়ে নাড়ুন। মাংস থেকে জল বেরোবে। নাড়তে থাকুন। জল শুকোলে ১ কাপ জল দিয়ে কুকারে ১৫ মিনিট সেদ্ধ করুন।

কুকার খুলে আঁচে বসান। কাঁচালংকা ও ফেটানো টকদই দিন। জল খানিকটা শুকোলে গোলমরিচ ও চিনি দিয়ে নাড়াচাড়া করুন। গাঢ় ঝোল হলে নামান।

পাশে সেদ্ধ মটরশুঁটি দিয়ে সাজিয়ে দিন। দেখাবে ভাল। খেতেও।

নিরামিষ ঝাল ফ্রেজি

উপকরণ: ১ কাপ ফুলকপির টুকরো, ১ কাপ ব্রকোলির টুকরো, ১ কাপ ডুমো করে কাটা ক্যাপসিকাম, ৩/৪ কাপ বেবি কর্ন টুকরো করা, ১/২ কাপ মাশরুম

৪ টুকরোয় কাটা, ১ কাপ পেঁয়াজ ডুমো কাটা, ১ কাপ টমেটো (ডুমো কাটা), ৪ টেবিল চামচ সাদা তেল, ১ চা চামচ জোয়ান, ১ চা চামচ জিরে, ৪টি শুকনো লংকা, ১৫টি কারিপাতা।

এ ছাড়া চাই: রুচিমতো নুন ও মরিচ, ১ চা চামচ ধনে গুঁড়ো, ১ চা চামচ কাশ্মীরি লংকা গুঁড়ো, ১ চা চামচ চাট মশলা, $^১/_২$ চা চামচ জিরে, ৪ টেবিল চামচ টম্যাটো পিউরি, ৪ টেবিল চামচ টম্যাটো কেচাপ, ২ টেবিল চামচ ভিনিগার, ১ চা চামচ চিনি।

প্রণালী: নানারঙের ক্যাপসিকাম হলে ভাল হয়। ক্যাপসিকাম ছাড়া বাকি সব সবজি আধ সেদ্ধ করে নিতে হবে।

কড়ায় তেল গরম করে জিরে, জোয়ান, শুকনো লংকা ও কারিপাতা ফোড়ন দিন। ফোড়ন হলে পেঁয়াজ দিয়ে ভাজুন। পেঁয়াজ গোলাপি হলে ক্যাপসিকাম দিন। ২-৩ বার নেড়ে বাকি সবজি দিন। মিনিট পাঁচেক মাঝারি আঁচে নাড়াচাড়া করতে হবে, একটু জল ছিটিয়ে ৫ মিনিট ঢাকুন।

এবার নুন, মরিচ, টম্যাটো পিউরি, কেচাপ, ভিনিগার, চিনি, ধনে, চাটমশলা ও লংকা গুঁড়ো দিয়ে কম আঁচে নাড়তে থাকুন ৫ মিনিট। সব বেশ গা মাখা হবে।

নামিয়ে সেদ্ধ মটরশুঁটি দিয়ে সাজিয়ে দিন।

কোকোনাট কাস্টার্ড

উপকরণ: ১৫০ গ্রাম খেজুরের পাটালি, ১ $^১/_২$ কাপ জল, ১০টি ডিম, ১$^১/_২$ কাপ নারকেলের গাঢ় দুধ।

প্রণালী: পাটালি ছোট ছোট টুকরোয় ভেঙে নিয়ে জলের সঙ্গে আঁচে বসান; নাড়তে থাকুন। পাটালি পুরোপুরি গলে গেলে ২ মিনিট ফুটিয়ে নামান। ঠান্ডা হলে আস্তে আস্তে ওপর থেকে ছেঁকে নিন। নীচে নোংরা পড়ে থাকবে।

ডিম কটি হালকা করে ফেটিয়ে নিন। নারকেলের দুধ ও খেজুরের রস সব একসঙ্গে ভাল করে মিশিয়ে নিন।

একটি বাটিতে ঢেলে জলের ওপর রেখে স্টিম করুন ৩৫-৪০ মিনিট। খুব ঠান্ডা করে খেতে দেবেন।

জলের ওপর বেকিং পাত্র বসিয়ে বেকও করা যাবে। ১৭০° সে. আভেনে, সময় লাগবে ৩০-৩৫ মিনিট।

রবিবারের লাঞ্চ

মেনু ১: ভাত, রবিবারের মাংস, নূরজাহানি ডাল, আনারসের পকোড়া

রবিবারের মাংস

বাঙালি বাড়িতে রবিবারে ভাত-মাংস খাবার রেওয়াজ চলেই আসছে। দিল্লিতে আমি বড় হয়েছি, সেখানেও এই অলিখিত নিয়মের ব্যতিক্রম হয় না আজও। সেই কথা ভেবেই এই মেনু। রবিবারে একটু সময় বার করে রান্না করাই যায়।

উপকরণ: $^১/_২$ কেজি মাংস, রুচিমতো নুন, ১ চা চামচ হলুদ, $^১/_৩$ কাপ সরষের তেল, ৪টি বড় পেঁয়াজ, ১ চা চামচ আদাবাটা, ১ চা চামচ রসুনবাটা, ১ চা চামচ চিনি, ১ চা চামচ ভরা ভরা ধনে গুঁড়ো, ১ চা চামচ জিরে গুঁড়ো, $^১/_২$ চা চামচ মরিচ গুঁড়ো, $^১/_২$ চা চামচ লংকাগুঁড়ো, ৪টি বড় টম্যাটো (কুচোনো) অথবা $^১/_২$ কা প টকদই, ৪টি মাঝারি আলু আধখানা করা, ১ চা চামচ ঘি, ২টি তেজপাতা, $^১/_২$ চা চামচ গুঁড়ো গরমমশলা।

প্রণালী: মাংস পরিষ্কার করে নিতে হবে প্রথমে যাতে বাড়তি হাড়ের কুচি

বা ছাল, চামড়া না থাকে। গরম জলে মাংস হালকা করে ধুয়ে নিন, সব জল ঝরিয়ে রাখতে হবে ভালভাবে।

মাংসে নুন, হলুদ, অর্ধেক সরষের তেল, ২টি পেঁয়াজবাটা ও আদা-রসুনবাটা দিয়ে মেখে রাখুন অন্তত ১ ঘণ্টা।

বাকি তেল গরম করে চিনি ভেজে অন্য দুটি পেঁয়াজকুচি দিন। পেঁয়াজ সোনালি মতো হলে মশলামাখা মাংস দিন। ২-৪ মিনিট নেড়ে জিরে, ধনে, মরিচ ও লংকা দিয়ে ঢাকুন। মাংস থেকে জল বেরোবে।

জল খানিকটা কমলে টম্যাটো বা টক দই দিন। আবার খানিকটা কষুন। মাঝে মাঝে নাড়তে থাকুন, মাংসের জল বেশ মরে এলে ১ $^১/_২$ কাপ গরম জল ও আলু দিয়ে কুকারে ১২ মিনিট হতে দিন।

এবার ঘি গরম করে তেজপাতা ও গরমমশলার গুঁড়ো ফোড়ন দিয়ে মাংসে ঢেলে ২ মিনিট ফোটান। নামিয়ে গরম ভাতের সঙ্গে পরিবেশন করুন।

অনেকে আলু আগে ভেজে নেন। আমি অবশ্য কাঁচা আলুই পছন্দ করি। শেষে ধনেপাতাকুচিও দেওয়া যাবে।

নূরজাহানি ডাল

উপকরণ: $^১/_৪$ কাপ অড়হর, মুগ, মুসুর ও কড়ায়ের ডাল প্রতিটি, ৫ কাপ জল, ২টি মাঝারি টম্যাটো (পিউরি করা), ২টি ছোট পেঁয়াজ (মিহি কুচোনো), নুন রুচিমতো, ১ চা চামচ হলুদ, ১ টেবিল চামচ পাতিলেবুর রস, ৩ টেবিল চামচ সাদা তেল।

একসঙ্গে বাটুন: ৪টি শুকনো লংকা, $^{১}/_{২}$ টেবিল চামচ আস্ত ধনে, ৩টি লবঙ্গ, ৩ সেমি টুকরো দারচিনি, ১ কাপ ধনেপাতাকুচি, ২ কোয়া রসুন, ২ সেমি আদা।

ফোড়ন: ১ টেবিল চামচ ঘি, ১ চা চামচ আস্ত জিরে, ১ চা চামচ লংকাগুঁড়ো (কাশ্মীরি লংকাগুঁড়োও চলবে)।

প্রণালী: সব রকম ডাল, হলুদ ও নুন একসঙ্গে জল দিয়ে কুকারে ১০ মিনিট সেদ্ধ করুন। সব ভালভাবে গলে যাওয়া চাই।

কড়ায় তেল গরম করে পেঁয়াজকুচি ভাজুন। বেশ ভাল নরম হলে বাটা মশলা দিয়ে নাড়ুন। বেশ ভাজাভাজা মতো হলে টম্যাটো পিউরি দিয়ে ২ মিনিট নাড়ুন। এবার সেদ্ধ ডাল ও প্রয়োজনমতো নুন দিন। খানিকক্ষণ ফুটবে। বেশ গাঢ় ডাল চাই।

আলাদাভাবে ঘিয়ে জিরে ও লংকাগুঁড়ো ফোড়ন দিয়ে ডালের ওপর ঢেলে দিন। শেষে পাতিলেবুর রস মিশিয়ে নামান।

আনারসের পকোড়া

উপকরণ: ১ কাপ ময়দা, $^{১}/_{৪}$ চা চামচ নুন, ১ চিমটি বেকিং পাউডার, ১টি কিউব চিজ (কোরানো) ১টি ডিম, সামান্য দুধ, ৩ স্লাইস টিনের আনারস টুকরো করা, ভাজবার জন্য তেল।

প্রণালী: ময়দা, নুন ও বেকিং পাউডার একসঙ্গে চেলে নিয়ে কোরানো চিজ, ডিম ও দুধ দিয়ে ব্যাটার তৈরি করে নিতে হবে। এতে মরিচ গুঁড়ো বা চিলি ফ্লেকস মেশাতে পারেন।

কড়ায় যথেষ্ট পরিমাণে তেল গরম করে আনারসের টুকরো ব্যাটারে ডুবিয়ে ভেজে তুলুন।

ওপরে একটু চাট মশলা ছড়িয়ে খেতে দেবেন।

মেনু ২: লেমন রাইস, পনির ভেল্লা কোর্মা, কোকোনাট চাটনি, চকোলেট প্যানকেক।

লেমন রাইস

ভাত তৈরি করার সময় জলে ১ চা চামচ হলুদ দিলে ভারী সুন্দর রং হয়। দেখতে ভাল লাগে।

উপকরণ: ২ টেবিল চামচ সাদা তেল, ১ চা চামচ সরষে, ১ ছড়া কারিপাতা, ২টি শুকনো লংকা, ১ টেবিল চামচ কড়ায়ের ডাল, ১ টেবিল চামচ ছোলার ডাল, ১ টেবিল চামচ কোরানো আদা, ১ টেবিল চামচ কুচোনো কাঁচালংকা, ১০টি কাজুবাদাম ২ টুকরো করা, ২ কাপ ভরা ভরা তৈরি ভাত, রুচিমতো নুন, ১টি পাতিলেবুর রস, নারকেল কোরা ও ধনেপাতাকুচি সাজাবার জন্য।

প্রণালী: কড়ায় তেল গরম করে সরষে, কারিপাতা, শুকনো লংকা ও দুরকম ডাল ফোড়ন দিন, ডাল বেশ ভাল ভাজা হলে আদা ও কাঁচালংকা ফোড়ন দিন। বেশ সুগন্ধ বেরোলে কাজুবাদাম দিয়ে মিনিটখানেক নাড়ুন।

এবার ভাত, নুন ও ইচ্ছে হলে ১ চামচ চিনি দিয়ে নাড়াচাড়া করুন। শেষে লেবুর রস মেশান। একটু ঠান্ডা হলে পরিবেশন করুন। নারকেলকোরা ও

ধনেপাতাকুচি ওপরে সাজিয়ে দেবেন।

ফোড়নে একটু লেমন গ্রাসের মিহি কুচি ছড়িয়ে দেওয়া যেতে পারে। এবং নামিয়ে ওপরে কিছু লেবুর পাতা ছড়িয়ে ঢেকে রাখবেন। এতে লেবুর গন্ধ আরও বাড়বে।

পনির ভেল্লা কোর্মা

উপকরণ: ২৫০ গ্রাম পনির, ১টি বড় আলুসেদ্ধ টুকরো করা, ৩/৪ কাপ গাঢ় টক দই, ১ চা চামচ মৌরিবাটা, ২ টেবিল চামচ নারকেলবাটা, ১ চা চামচ কাঁচালংকাবাটা, ১ টিপ হলুদ, ১ চা চামচ চিনি, রুচিমতো নুন, ১ চা চামচ মরিচ, প্রয়োজনমতো সাদা তেল, ১ চা চামচ সরষে, ১ ছড়া কারিপাতা।

প্রণালী: পনির ডুমো করে কাটতে হবে। কাঁচাও রাখা যাবে পনির অথবা ইচ্ছে হলে খুব হালকা করে ভেজে নিতে পারেন। তবে দেখবেন যেন রং না ধরে।

টকদই, মৌরিবাটা, নারকেলবাটা, কাঁচালংকাবাটা, হলুদ, চিনি, নুন ও মরিচ— সব একসঙ্গে মিশিয়ে রাখুন।

কড়ায় ২ টেবিল চামচ তেল গরম করে সরষে ও কারিপাতা ফোড়ন দিন। ফোড়ন হলে দইয়ের মিশ্রণ দিয়ে মাঝারি আঁচে নাড়তে থাকুন। জল প্রায় পুরো শুকিয়ে এলে আলু ও ছানা দিয়ে এককাপ গরম জল দিন। ভালভাবে ৫ মিনিট ফোটান।

ধনেপাতাকুচি ও কোরানো নারকেল ওপরে ছড়িয়ে খেতে দিন।

কোকোনাট চাটনি

উপকরণ: ১ কাপ ছোলার ডাল, ১ কাপ নারকেল কোরা, ২টি কাঁচালংকা, ১/২ কাপ গাঢ় টক দই, ১ টেবিল চামচ চিনি, রুচিমতো নুন, ১ টেবিল চামচ সাদা তেল, ১ টেবিল চামচ শুকনো লংকাকুচি, ১ চা চামচ সরষে, ১ ছড়া কারিপাতা।

প্রণালী: ছোলার ডাল শুকনো খোলায় হালকা ভেজে ২-৪ ঘণ্টা ভিজিয়ে রাখতে হবে। এবার ডাল, নারকেল ও কাঁচালংকা একসঙ্গে মিহি করে বেটে নিন।

এরপর আবার টক দই নুন ও চিনি দিয়ে মিক্সারে ভাল করে ব্লেন্ড করে নিন।

তেলে শুকনো লংকা, সরষে ও কারিপাতা ফোড়ন দিয়ে চাটনির ওপর ঢেলে দিন। নরম থকথকে চাটনি হবে। ঝাল, টক ও মিষ্টির সমতা যেন ঠিক থাকে।

চকোলেট প্যানকেক

উপকরণ: ৫০ গ্রাম ডার্ক কুকিং চকোলেট, ৫০ গ্রাম মিল্ক কুকিং চকোলেট, ১ কাপ দুধ, ১ চা চামচ বেকিং পাউডার, ৩/৪ কাপ ময়দা, সামান্য সাদা তেল।

টপিং: ১টি আপেল, ১টি বড় কলা, ১ টেবিল চামচ মাখন, ২ টেবিল চামচ যে কোনও ফলের রস, ১ চা চামচ লেবুর রস, ১ টেবিল চামচ গুঁড়ো চিনি, ১ কাপ লাল বেদানা।

প্রণালী: দু রকম চকোলেট একসঙ্গে গলিয়ে নিন। মাইক্রোওয়েভ বা ডবল বয়লারে দুধ মেশান। এবার ময়দা ও বেকিং পাউডার একসঙ্গে ঢেলে মেশান।

নন-স্টিক চাটুতে কয়েক ফোঁটা তেল ছড়িয়ে ১ হাতা গোলা ঢেলে পাতলা প্যানকেক ভেজে তুলুন।

টপিং: আপেল ও কলা ছোট টুকরো করে কেটে নিতে হবে।

মাখনে আপেল ও কলা নাড়ুন দু মিনিট। এবার ফলের রস, চিনি ও লেবুর রস মিশিয়ে বেশ গাঢ় থকথকে হলে নামান। একটু ঠান্ডা হলে বেদানা মিশিয়ে দিন।

প্যানকেকের ওপর ফল দিয়ে রোল করুন। ইচ্ছে হলে ওপরে চকোলেট সস বা ভ্যানিলা আইসক্রিম দেওয়া যেতে পারে।

গরম বা ঠান্ডা পরিবেশন করুন। গরম প্যানকেকের সঙ্গে ঠান্ডা আইসক্রিম খুব ভাল লাগে।

মেনু ৩: বাদশাভোগ খিচুড়ি, গোয়ান ফিশ ফ্রাই, সম্ভারিয়া।

বাদশাভোগ খিচুড়ি

উপকরণ: ২৫০ গ্রাম গোবিন্দভোগ চাল, ১২৫ গ্রাম মুগের ডাল, ১/৩ কাপ সাদা তেল, ৪টি শুকনো লংকা, ৪টি তেজপাতা, ১ টেবিল চামচ জিরে, ১ টেবিল চামচ আস্ত গরম মশলা, ১ টেবিল চামচ আদাবাটা, নুন ও চিনি

রুচিমতো, ১ চা চামচ হলুদ, $^{১}/_{২}$ চা চামচ গুঁড়ো গরম মশলা, ১৫টি কাজু আধখানা করা, ৩০টি কিশমিশ, ৯০০ মিলি চিকেন স্টক, ১ টেবিল চামচ ঘি।

প্রণালী: চাল ও ডাল ধুয়ে একেবারে শুকিয়ে রাখুন।

ডেকচিতে তেল গরম করে শুকনো লংকা ছিঁড়ে দিন। সেইসঙ্গে তেজপাতা ও জিরে ফোড়ন দিন। জিরে পটপট করা বন্ধ করলে ডাল দিয়ে ভাজুন। হালকা লালচে হলে চাল দিন। আরও ২ মিনিট ভেজে থেঁতো করা গরম মশলা দিয়ে আরও মিনিটখানেক নাড়ুন। আদাবাটা, নুন, চিনি ও হলুদ দিয়ে আবার একটু ভাজুন। সব মিলিয়ে বেশ খানিকক্ষণ কষতে হবে।

এবার স্টক বা জল (স্টক দিলে স্বাদ আরও ভাল হবে), কাজু, কিশমিশ ও গুঁড়ো গরম মশলা দিন। ফুটে উঠলে ঢেকে মাঝারি আঁচে হতে দিন। চাল ও ডাল ভালভাবে সেদ্ধ হলে ঘি দিয়ে নামান।

এই খিচুড়ি একটু টাইট মতো হয়। সামান্য ঘাঁটাঘাঁটা মতো হলে কোনও ক্ষতি নেই। ধনেপাতাকুচি ছড়িয়ে দেওয়া যাবে।

এতে চিংড়িমাছ, চিকেনের টুকরো বা ভাজা ডিমও দেওয়া যাবে।

গোয়ান ফিশ ফ্রাই

উপকরণ: ৬টি আস্ত ভেটকিমাছ, ১টি পাতিলেবুর রস, নুন ও মরিচ আন্দাজমতো, ১ চা চামচ আদাবাটা, ১ চা চামচ রসুনবাটা, $^{১}/_{২}$ চা চামচ চিনি, $^{১}/_{৩}$ কাপ কর্নফ্লাওয়ার, ভাজবার জন্য সাদা তেল, ২টি শুকনো লংকা, ১ ছড়া কারিপাতা, $^{১}/_{৩}$ কাপ টক দই, ২ চা চামচ চিলি ফ্লেকস।

মাছ প্রতিটি আন্দাজ ২৫০-৩০০ গ্রাম ওজনের হতে হবে। মাছ পরিষ্কার

করে কেটে, ধুয়ে, মুছে দুদিকে দুটি করে চির দিয়ে নেবেন।

প্রণালী: মাছে লেবুর রস, নুন, মরিচ, চিলি ফ্লেকস ও চিনি মাখিয়ে ১৫ মিনিট রাখুন।

নন-স্টিক ফ্রাইংপ্যানে তেল গরম করুন। একটি একটি করে মাছে কর্নফ্লাওয়ার মাখিয়ে ভেজে তুলুন। দুদিক সোনালি হওয়া চাই।

ওই প্যানেই ১ টেবিল চামচ তেলে শুকনো লংকা ও কারিপাতা ফোড়ন দিন। কারিপাতা বেশ ভাজা ভাজা হলে টক দই, ১/২ কাপ জল ও নুন একসঙ্গে ফেটিয়ে ঢালুন। ফুটলে মরিচ, চিলি ফ্লেকস ও মাছ দিন। মাঝারি আঁচে রান্না করুন। মাছ একবার উলটে দিতে হবে। একেবারে শুকনো হলে নামান। ততক্ষণে মাছও সেদ্ধ হয়ে যাবে।

সম্ভারিয়া

মহারাষ্ট্রীয় স্যালাড বলা যায়।

উপকরণ: ২টি মাঝারি গাজর (কোরানো), ১ মুঠো কিশমিশ, ১০টি কাজুবাদাম আধখানা করা, ২টি কাঁচালংকা কুচোনো, ১ টেবিল চামচ যে কোনও মিষ্টি চাটনি বা মার্মালেড, ১ চা চামচ লেবুর রস, রুচিমতো বিটনুন ও মরিচ গুঁড়ো, সাজাবার জন্য ২ টেবিল চামচ কোরানো নারকেল, ২ টেবিল চামচ ধনেপাতাকুচি।

প্রণালী: গাজর দুটি ধুয়ে চেঁছে নিন। এবার কুরিয়ে নিতে হবে। কিশমিশ পরিষ্কার করে ধুয়ে নেবেন।

সব উপকরণ একসঙ্গে মিশিয়ে নিন। ফ্রিজে রাখুন একঘণ্টা অন্তত।

ওপরে নারকেল কোরা ও ধনেপাতা দিয়ে সাজিয়ে দিন।

কাজুবাদামের বদলে চিনেবাদাম দেওয়া যেতে পারে। তেলে জিরে, সরষে, কারিপাতা ও শুকনো লংকা ফোড়ন দিয়ে সম্ভারিয়ার ওপর দিলে অন্য রকম স্বাদ ও গন্ধ হবে।

মেনু: ফ্রায়েড রাইস, মির্চি মুর্গ, সালসা, ঘরোয়া ব্ল্যাক ফরেস্ট পুডিং।

ফ্রায়েড রাইস

এর জন্য খুব ঝরঝরে ভাত চাই। গোবিন্দভোগ বা দেরাদুন রাইস। এবং ভাত ঠান্ডা হওয়া দরকার। চাইলে ভাত একদিন আগেও তৈরি করে রাখা যাবে।

উপকরণ: ২ টেবিল চামচ সাদা তেল, ২ টেবিল চামচ ঘি, ১ টেবিল চামচ কোরানো আদা, ৪টি কাঁচালংকা (মিহি কুচোনো), ১ কাপ সেদ্ধ মটরশুঁটি, ২৫০ গ্রাম চালের তৈরি ঝরঝরে ভাত, রুচিমতো নুন, ১ টেবিল চামচ চিনি, ১৫টি কাজুবাদাম, দু টুকরো করা ৩০টি কিশমিশ।

প্রণালী: কড়াতে তেল ও ঘি একসঙ্গে গরম করে কোরানো আদা ও কাঁচালংকাকুচি দিন। সুগন্ধ বেরোলে মটরশুঁটি দিয়ে মিনিটখানেক নেড়ে ভাত, নুন ও চিনি দিয়ে হালকা হাতে ভাজুন। সব ভালভাবে মিশে যাওয়া চাই।

নামিয়ে কাজু ও কিশমিশ ছড়িয়ে খেতে দিন।

চাইলে কাজু ও কিশমিশ ভেজে মটরশুঁটির সঙ্গেও দেওয়া যাবে। অন্য সবজি যেমন গাজর, কপি, বিন, আলুও দেওয়া যায়। সেক্ষেত্রে শক্ত করে সেদ্ধ করে সব সবজি ছোট করে কেটে আলাদা সাঁতলে নিতে হবে।

৫৭

মির্চি মুর্গ

উপকরণ: ২ টেবিল চামচ সাদা তেল, ১টি বড় পেঁয়াজ (মিহি কুচোনো), ১টি বড় পেঁয়াজ কোরানো, ১ কেজি চিকেন ১৬ টুকরোয় কাটা, রুচিমতো নুন, ২ চা চামচ সাদা ভিনিগার, ১ চা চামচ আদাবাটা, ১ চা চামচ রসুন বাটা, ৬টি কাঁচালংকা, ১ চা চামচ চিনি, ১ চা চামচ গুঁড়ো গরম মশলা।

প্রণালী: নন-স্টিক কড়ায় তেল গরম করে মিহি কুচোনো পেঁয়াজ ছাড়ুন। পেঁয়াজ গোলাপি হলে কোরানো পেঁয়াজ দিন। মিনিট দুই নাড়তে হবে।

এবার চিকেনের টুকরো দিয়ে ৫ মিনিট নাড়াচাড়া করুন। এই সময় নুন দিন, চিকেনের থেকে জল বেরোবে। সেইসঙ্গে দিন সাদা ভিনিগার, আদা ও রসুনবাটা। ভালভাবে নেড়ে কম আঁচে হতে দিন। জল দেবেন না, চিকেন নিজের জলেই হবে। মাঝে মাঝে নাড়বেন।

চিকেন সেদ্ধ হলে কাঁচালংকা কটি চিরে দিন। সবুজ ও লাল কাঁচালংকা ব্যবহার করলে দেখাবে ভাল। ঢেকে দিন ৫ মিনিট যাতে লংকার গন্ধ ভেতরে ঢোকে।

তেলকাটা ঝোল হবে। গরম মশলার গুঁড়ো ছড়িয়ে নামান রুটি পরোটা সবের সঙ্গেই খেতে ভাল লাগে।

সালসা

সত্যি বলতে কী এই মেনুর সঙ্গে যে কোনও চাটনি বা রায়তা ভাল লাগবে। তবে একেবারে মুখ বদলে এই সালসাটি সার্ভ করুন।

উপকরণ: ৬টি বড় পাকা লাল টম্যাটো, ১টি বড় শশা, ৪টি কাঁচালংকা , ১টি বড় পেঁয়াজ, নুন ও মরিচ রুচিমতো, ১ টেবিল চামচ বা রুচিমতো চিনি, ১ কাপ ধনেপাতা কুচি।

প্রণালী: টম্যাটো গরম জলে ২ মিনিট ফুটিয়ে নামান। খোসা ছাড়িয়ে বিচি বাদ দিন। ধৈর্য ও সময় থাকলে বিচি ছেঁকে রসটুকু বার করে নিন। টম্যাটো কুচিয়ে নিন ছোট করে। কাটতে গিয়ে বেশ খানিকটা রস বেরোবে। একটি বড় বাটিতে রাখুন।

শশা, পেঁয়াজ ও কাঁচালংকা ছোট ডুমো করে কাটুন। টম্যাটোর সঙ্গে সব উপকরণ মিশিয়ে ঢাকা দিয়ে ২-৪ ঘণ্টা ফ্রিজে রেখে খেতে দিন।

আদতে মেক্সিকোর রান্না। তবে যে কোনও মেনুর সঙ্গে খাওয়া যায়।

ঘরোয়া ব্ল্যাক ফরেস্ট পুডিং

উপকরণ: ১টি চকোলেট কেক, যে কোনও পছন্দসই জ্যাম, ১ টিন চেরি, চকোলেট চিপস সাজাবার জন্য।

চকোলেট কাস্টার্ড: ১ প্যাকেট ভ্যানিলা কাস্টার্ড পাউডার, ১ টেবিল চামচ ভরা ভরা কোকো পাউডার, $^{১}/_{২}$ লিটার দুধ, ৪ টেবিল চামচ বা রুচিমতো চিনি।

প্রণালী: কেক পাতলা টুকরোয় কেটে জ্যাম মাখিয়ে স্যান্ডউইচ বানান, এবার ছোট ছোট টুকরোয় কেটে নিন, একটি কাচের বোলে নীচে সাজান। টিন থেকে চেরি বার করে বিচি বাদ দিন। কয়েকটি চেরি বিচি সুদ্ধু রাখুন সাজাবার জন্য। টিনের সিরাপ কেকের ওপর ছড়ান। অনেক সময় সিরাপ

টক হলে চিনি মেশাতে হয়। এর বদলে ফ্রুটি জাতীয় পানীয়ও ছড়ানো যায়। খানিকক্ষণ ফ্রিজে রেখে দিন যাতে কেক নরম হয়।

এদিকে কাস্টার্ড বানাতে হবে। দুধ ও চিনি একসঙ্গে একটি সসপ্যানে বসান। চিনি গলে গেলে ফুটতে দিন। আলাদাভাবে কাস্টার্ড পাউডার ও কোকো পাউডার একসঙ্গে একটু দুধে গুলে নিন।

দুধ ফুটে উঠলে এক হাতে কোকোর মিশ্রণ ঢালুন ও অন্য হাতে সমানে নাড়তে থাকুন। না নাড়লে ডেলা বেঁধে যাবে। ২ মিনিট নেড়ে নামান।

বাটিতে কেকের ওপর কিছু চেরি ছড়ান। ওপরে গরম কাস্টার্ড ঢেলে বাকি চেরি ছড়িয়ে দিন। ফ্রিজে রেখে দিন।

খেতে দেবার সময় ওপরে চকোলেট চিপস ও আস্ত চেরি ছড়িয়ে দিন। খুব উৎসাহ থাকলে ক্রিম দিয়েও সাজানো যায়।

মেনু: ভাত/রুটি, পোস্ত পনির, চেট্টিনাড় ডিমের কারি, আমের পুডিং।

পোস্ত পনির

পনির কাঁচাও ব্যবহার করা যাবে। অথবা খুব হালকা করে ভেজে উষ্ণ জলে ভিজিয়ে রাখুন। এতে পনির নরম তো থাকবেই উপরন্তু খানিকটা তেলও বেরিয়ে যাবে।

উপকরণ: ৩০০ গ্রাম পনির, রুচিমতো নুন, ১ চা চামচ চিনি, ১ কাপ দুধ, ২ টেবিল চামচ সাদা তেল।

একসঙ্গে বাটুন: ৫০ গ্রাম পোস্ত, ২টি কাঁচালংকা, ১/২ মালা নারকোল, ২৫ গ্রাম চিনেবাদাম।

প্রণালী: পনির মাঝারি টুকরোয় কেটে নুন জলে ২ মিনিট ফুটিয়ে জল ঝরিয়ে রাখুন। চাইলে তেলে সাঁতলে উষ্ণ জলে ভিজিয়েও ব্যবহার করতে পারেন।

স্কিলেটে তেল গরম করে বাটা মশলা ভাজুন কম আঁচে। জল ছিটিয়ে মিনিট ৫ কষবেন। এরপর পনির দিয়ে হালকাহাতে নাড়ুন। দুধ, চিনি ও নুন দিয়ে মাঝারি আঁচে ৫ মিনিট হতে দিন। ফুটে ঝোল কতকটা গাঢ় হলে নামান।

শুকনো ভাজা চিনেবাদাম ও কাঁচালংকা দিয়ে সাজিয়ে দিতে পারেন।

চেট্টিনাড় ডিমের কারি

টম্যাটো কুরিয়ে নিয়ে গ্রেভিতে দিলে চট করে মিশে যায় ও গ্রেভি খুব মসৃণ হয়।

উপকরণ: ২ টেবিল চামচ সাদা তেল, ১/৪ চা চামচ মেথি, ১/২ চা চামচ মৌরি, ২টি বড় কোরানো টম্যাটো, রুচিমতো নুন, ১/২ চা চামচ পাতিলেবুর রস, ২৫০ মিলি নারকোলের দুধ, ৬টি সেদ্ধ হাঁসের ডিম।

মশলা: ৪ চা চামচ ধনে গুঁড়ো, ১ টেবিল চামচ বা রুচিমতো লংকাগুঁড়ো, ১/২ চা চামচ মৌরি গুঁড়ো, ১/৪ চা চামচ জিরেগুঁড়ো, ১ টেবিল চামচ আদা-রসুন বাটা, ১/২ চা চামচ হলুদ, সব একসঙ্গে জল দিয়ে মিশিয়ে থকথকে বাটার মতো করে নিন।

ইচ্ছে হলে সেদ্ধ ডিম ভেজে নিতে পারেন বা কাঁচাও ব্যবহার করা যায়।

প্রণালী: কড়ায় তেল গরম করে মেথি ও মৌরি ফোড়ন দিন। ফোড়নের গন্ধ বেরোলে মশলার পেস্ট দিন। জল ছিটিয়ে কষুন কম আঁচে। মশলার কাঁচা গন্ধ চলে গিয়ে তেল ছাড়লে টম্যাটো দিয়ে নাড়ুন।

টম্যাটো পুরোপুরি গলে গিয়ে মশলার সঙ্গে মিশে যাওয়া চাই। আবার তেল ছাড়লে লেবুর রস ও নুন দিন। এবার কম আঁচে নারকোলের দুধ দিয়ে ফোটান। খানিকটা গাঢ় হলে নামান।

সেদ্ধ ডিম অর্ধেক করে কেটে পরিবেশনের পাত্রে সাজান। ওপরে গ্রেভি ঢেলে ধনেপাতা ছড়িয়ে খেতে দিন।

আমের পুডিং

সুবিধে এই যে মিষ্টিটি দুই একদিন আগে বানিয়েও রাখা যায়।

উপকরণ: ১ টেবিল চামচ জিলেটিন, ১ কাপ জল ঝরানো টক দই, ১ ছোট টিন কনডেনসড্ মিল্ক, ১ কাপ পাকা আমের শাঁস, ১/২ চা চামচ ভ্যানিলা বা আমের এসেন্স, কিছু আমের টুকরো সাজানোর জন্য।

প্রণালী: জিলেটিন ১ টেবিল চামচ জল দিয়ে ১৫ মিনিট ভেজান। ২০ সেকেন্ড মাইক্রোওয়েভ করুন বা আঁচে জলের ওপর বসিয়ে গলিয়ে নিন।

জল ঝরানো টকদই ফেটান, একেবারে মসৃণ হওয়া চাই। হ্যান্ডবিটার থাকলে সুবিধে হয়। তার সঙ্গে কনডেনসড্ মিল্ক মিশিয়ে আবার ফেটান।

এবার আমের শাঁস মেশাতে হবে। শেষে এসেন্স ও গলানো জিলেটিন

ভালভাবে মিশিয়ে নিন। $^1/_২$ ঘণ্টা ফ্রিজে রাখুন। এবার ৬টি ডাঁটি দেওয়া গ্লাসে ঢালুন। ফ্রিজে রাখুন জমে যাওয়া অবধি।

ওপরে আমের টুকরো সাজিয়ে খেতে দিন।

এতে কিছু ছানাও আলাদাভাবে বেটে মেশানো যেতে পারে। কুলফি মোল্ডেও জমানো যায়।

নেমন্তন্নর মেনু

মেনু নং ১: স্টার ফ্রায়েড নুডলস, মেক্সিকান চিলি, কুলি স্যালাড, রেফ্রিজারেটর পুডিং।

স্টার ফ্রায়েড নুডলস

উপকরণ: ৪টি ছোট প্যাকেট নুডলস, ৪ টেবিল চামচ সাদা তেল, $^১/_২$ কাপ সরু পাতলা কাটা পেঁয়াজ, $^১/_২$ কাপ ক্যাপসিকাম, $^১/_২$ কাপ বিন, $^১/_২$ কাপ গাজর, $^৩/_৪$ কাপ গাছ পেঁয়াজ, $^১/_২$ কাপ বাঁধাকপি, $^১/_২$ চা চামচ আজিনোমোটো, ২ টেবিল চামচ পাতলা সয়াসস, নুন ও মরিচ আন্দাজমতো, ২টি বড় পাকা টম্যাটো কুচোনো, ৪ টেবিল চামচ স্টক।

প্রণালী: যথেষ্ট পরিমাণ গরম জলে ১ চা চামচ নুন ও ১ চা চামচ তেল দিয়ে নুডলস ২ মিনিট ফুটিয়ে নিন, ২ মিনিট ওই জলেই রেখে তারপর জল ঝরিয়ে রাখুন।

সব সবজি সরু পাতলা করে কাটতে হবে।

কড়াতে ২ টেবিল চামচ তেল খুব গরম করে নিয়ে সেদ্ধ নুডলস ছাড়ুন। তেজ আঁচে ৫ মিনিট উলটেপালটে ভাজুন। নামিয়ে রাখুন।

একটি বড় স্কিলেটে বাকি তেল গরম করে পেঁয়াজ, ক্যাপসিকাম, বিন, গাজর দিয়ে ভাজুন। মিনিট ২-৩ নেড়ে গাছ পেঁয়াজ ও বাঁধাকপি দিন। আরও ২ মিনিট নাড়ুন। শেষে টম্যাটো মেশান।

এবার সয়াসস, আজিনোমোটো, নুন, মরিচ ও স্টক দিন। তেজ আঁচে নাড়ুন। ফুটে উঠলে নুডলস মেশান। ২ মিনিট নেড়ে নামান।

এতে ব্রকোলি, বেবি কর্ন, সেদ্ধ চিকেন ও চিংড়ি মাছও দেওয়া যায়।

মেক্সিকান চিলি

এখন ভাবতেও অবাক লাগে যে মেক্সিকো থেকে আমাদের দেশে লংকা আসে। মেক্সিকোতে ১৩৬ রকম লংকা পাওয়া যায়।

উপকরণ: ২ টেবিল চামচ মাখন, ২ টেবিল চামচ সাদা তেল, ২টি বড় পেঁয়াজ (মিহি কুচোনো), ৪টি বড় টম্যাটো কোরানো, ১ চা চামচ লংকাগুঁড়ো, ১ টেবিল চামচ কাশ্মীরি লংকাগুঁড়ো, ২ টেবিল চামচ ভিনিগার, ১ চা চামচ চিনি, ১ টেবিল চামচ মরিচগুঁড়ো, রুচিমতো নুন, আধকেজি কিমা, ২ কাপ সেদ্ধ রাজমা, ২ কাপ স্টক।

প্রণালী: কড়ায় মাখন ও তেল একসঙ্গে গরম করে পেঁয়াজ ও ক্যাপসিকাম ছাড়ুন। মাঝারি আঁচে নেড়েচেড়ে ভাজুন। নরম হলে টম্যাটো ও কিমা দিয়ে আরও ৫ মিনিট ভাজুন।

এবার ২ রকম লংকাগুঁড়ো, ভিনিগার, চিনি, নুন ও মরিচ একসঙ্গে জলে গুলে ঢালুন। একটু হবে। সব বেশ ভালভাবে মিলেমিশে গেলে সেদ্ধ রাজমা দিয়ে একটু নাড়ুন। এবার স্টক দিয়ে ঢাকা দিন। ১৫ মিনিট ফুটতে দিন। গাঢ় থকথকে হলে নামান।

কুলি স্যালাড

উপকরণ: $^{1}/_{2}$ কাপ কালো আঙুর, $^{1}/_{2}$ কাপ সবুজ আঙুর, $^{1}/_{2}$ কাপ সেদ্ধ মটরশুঁটি, ১ কাপ নানারকম পছন্দসই সবজির টুকরো সেদ্ধ করা, ২ কিউব চিজ টুকরো করা।

ড্রেসিং: $^{1}/_{2}$ কাপ মেয়োনেজ, $^{1}/_{2}$ কাপ এপ্রিকট জ্যাম বা অন্য পছন্দসই লাল রঙের জ্যাম, নুন ও মরিচ আন্দাজমতো, $^{1}/_{2}$ কাপ ক্রিম, ১ চা চামচ লেবুর রস।

প্রণালী: সব উপকরণ একসঙ্গে মেশান। ঠান্ডা হতে দিন। আপনার পছন্দসই যে কোনও ফল বা সবজি ব্যবহার করতে পারেন।

ড্রেসিং: সব উপকরণ একসঙ্গে মিশিয়ে ঠান্ডা করুন। পরিবেশনের ঠিক আগে মিশিয়ে দেবেন।

রেফ্রিজারেটর পুডিং

যেহেতু এই মিষ্টিটি ২-১ দিন আগে তৈরি করে রাখা যায়, নেমন্তন্নের পক্ষে আদর্শ।

উপকরণ: ৫০০ গ্রাম হরলিকস বা গ্লুকোজ বিস্কুট, ৫০ গ্রাম মাখন, ১টি আপেল কোরানো, ২৫০ গ্রাম পনির, ১০০ গ্রাম গুঁড়ো চিনি, ১ চা চামচ কোরানো লেবুর খোসা।

প্রণালী: বিস্কুটগুলি মিক্সারে গুঁড়ো করে নিতে হবে। গুঁড়ো বিস্কুটে গলানো মাখন মেশান। এবার কোরানো আপেল মেশান। বেশি শুকনো মনে

হলে সামান্য দুধ মেশানো যেতে পারে। ৩ ভাগে ভাগ করে রাখুন মিশ্রণটি।

আলাদাভাবে কোরানো ছানা, মাখন, গুঁড়ো চিনি ও লেবুর খোসা মেশান। ২ ভাগে ভাগ করে রাখুন।

একটি কাচের বোলে ভালভাবে মাখন মাখান। ওপরে একভাগ বিস্কুটের মিশ্রণ ছড়ান সমানভাবে। ওপরে একভাগ ছানা দিয়ে চেপে চেপে দিন। এইভাবে আর একবার সাজিয়ে সবার শেষে বিস্কুটের গুঁড়ো ছড়ান।

একরাত ফ্রিজে জমতে দিন। পরদিন ওপরে ক্রিম ও বাদাম ছড়িয়ে সাজাতে পারেন। কেটে কেটে খেতে দেবেন।

মেনু নং ২: নাসি গুরিয়া, টম্যাটো চিকেন, গাজর ও আপেলের স্যালাড, আপেল ক্রিস্প।

নাসি গুরিয়া

এটি ইন্দোনেশিয়ার রান্না; বাঙালি রান্নাঘরেও দারুণ মানিয়ে যায়।

উপকরণ: ৩৭৫ গ্রাম বাসমতি চাল, ৭৫০ মিলি নারকোলের দুধ, ২টি লেমন গ্রাস (শুধু সাদা অংশ কুচোনো), ৫ সেমি দারচিনি, ১ ছড়া কারিপাতা, ১ চা চামচ গরম মশলার গুঁড়ো, রুচিমতো নুন, ১ চা চামচ গোলমরিচ, ১ টেবিল চামচ মাখন বা সাদা তেল বা আধাআধি।

প্রণালী: চাল ধুয়ে নিন। ৭৫০ মিলি নারকোলের দুধের জন্য ৩টি বড় নারকোল লাগবে। ২ বারে দুধ বার করবেন অথবা সময় বাঁচাতে টেট্রাপ্যাকের নারকোল দুধ ব্যবহার করতেই পারেন।

৬৭

একটি তলাভারী ডেকচিতে সব উপকরণ দিয়ে বসান। নারকোলের দুধ গরম করে দেবেন। ফুটে উঠলে ঢাকা দিয়ে আঁচ কমিয়ে দিন। জল শুকিয়ে চালের ওপর ফুটো ফুটো দেখা দিলে দমে বসান। অর্থাৎ ডেকচিটি গরম জলের ওপর বসান বা ডেকচির তলায় একটি চাটু রাখুন।

ভাত সেদ্ধ হলে বড় কাঁটা দিয়ে হালকা হাতে নাড়িয়ে দিন। ১৫ মিনিট ঢাকা দিয়ে রেখে তারপর সার্ভ করুন।

ইচ্ছে হলে ওপরে ভাজা কুচো চিংড়ি বা অমলেটের কুচি দিয়ে সাজানো যেতে পারে।

টম্যাটো চিকেন

উপকরণ: ৩ টেবিল চামচ সাদা তেল, ২টি বড় পেঁয়াজ (মিহি কুচোনো), ১ কেজি চিকেন ১৬ টুকরোয় কাটা, রুচিমতো নুন, ১ টেবিল চামচ মিহি কুচোনো রসুন, ২ কাপ টম্যাটো পিউরি, ১ চা চামচ চিনি, ৪ টি কাঁচালংকা।

প্রণালী: কড়ায় তেল গরম করে পেঁয়াজ দিন, ২ মিনিট নেড়ে চিকেন ও নুন দিয়ে ভাজুন ৫ মিনিট। রসুনকুচির বদলে ১ চা চামচ রসুনবাটাও দিতে পারেন দিয়ে আরও ৫ মিনিট কষুন।

এবার টম্যাটো পিউরি ও চিনি দিয়ে ২ মিনিট নাড়ুন। ফুটে উঠলে কাঁচালংকা দিয়ে ঢাকুন। কাঁচালংকা আস্ত বা কুচি যা ইচ্ছে দেবেন। কম আঁচে ঢাকা দিয়ে হতে দিন।

সময় বাঁচাতে প্রেশারে ৫ মিনিট সেদ্ধ করা যাবে। চিকেন থেকে জল বেরোবে। তাতেই হয়ে যাবে। চিকেন পুরো নরম হলে আঁচ বাড়িয়ে জল

শুকিয়ে নিন। কতটা ঝোল থাকবে তা আপনার ওপর। শেষে গোলমরিচ মিশিয়ে নামান।

টম্যাটো পিউরি বাড়িতে বানালে অনেক সাশ্রয় হয়। ৪-৫টি বড় পাকা টম্যাটো জল দিয়ে সামান্য সেদ্ধ করে মিক্সারে বেটে নিলেই হল।

গাজর ও আপেলের স্যালাড

উপকরণ: ১টি বড় আপেল, ২টি মাঝারি গাজর, ৩ টেবিল চামচ আখরোট কুচি, ১ চা চামচ চিনি, ১ চা চামচ লেবুর রস, ১৫০ গ্রাম গাঢ় টক দই, নুন ও মরিচ আন্দাজমতো।

প্রণালী: আপেল ও গাজরের খোসা ছাড়িয়ে কুচিয়ে নিন। টকদই ফেটিয়ে চিনি (রুচিমতো বাড়ানো যেতে পারে), লেবুর রস, নুন ও মরিচ মেশান।

সুদৃশ্য কাচের বাটিতে আপেল ও গাজর রেখে অর্ধেক দই ঢালুন। ৩০ মিনিট ফ্রিজে রাখুন। খেতে দেবার সময় বাকি দই মিশিয়ে দেবেন।

আপেল ক্রিস্প

উপকরণ: ৪০০ গ্রাম টিন এপ্রিকট, ১/২ কাপ চিনি, ১ কাপ মারি বা থিন এরারুট বিস্কুট, মোটা করে গুঁড়োনো, ১/৩ বা ১/২ কাপ মাখন, সঙ্গে দেবার জন্য ক্রিম (ঐচ্ছিক)।

প্রণালী: টিন থেকে এপ্রিকট বার করে নিয়ে সিরাপ ঢেলে রাখুন।

একটি বেকিং ডিশে এপ্রিকট সাজান। ওপরে চিনি ছড়ান। বিস্কুটের গুঁড়ো দিয়ে ঢেকে দিন। ওপরে মাখন ঢালুন।

১৭০° সে. উত্তাপের আভেনে ২৫-৩০ মিনিট বেক করুন। ঠান্ডা বা গরম দু'ভাবেই খাওয়া চলে।

সঙ্গে ক্রিম, আইসক্রিম বা কাস্টার্ড দিতে পারেন।

মেনু নং ৩: চটজলদি চিকেন পোলাউ, সবুজ ফিশ ফ্রাই, চকো চিপ রায়তা, স্টার-ফ্রায়েড টোফু, জিঞ্জার বিস্কুট লগ।

মেনুটি সহজ, অনেক কাজই আগে থেকে করে রাখা যায়। রায়তা ও মিষ্টি একদিন আগে বানিয়ে রাখুন। ফিশ ফ্রাই সকালে গড়ে নিন। সময়মতো ভেজে নিলেই হল। পোলাউয়ের সব গুছিয়ে রেখে শেষে শুধু কুকারে বসানো। কেবল স্টার ফ্রায়েড টোফু টাটকা রাঁধাই ভাল।

চটজলদি চিকেন পোলাউ

উপকরণ: ১/২ কেজি বাসমতি চাল, ১ কেজি চিকেন, ১ লিটার জল, গরমমশলা আস্ত প্রতিটি ৮টি করে, ৪টি বড় এলাচ, ৮টি তেজপাতা, ১ টেবিল চামচ আদাবাটা, ২ চা চামচ বা রুচিমতো কাঁচালংকাবাটা, ১/২ কাপ টক দই, ১ চা চামচ চিনি, রুচিমতো নুন, ২ টেবিল চামচ সাদা তেল, ১ টেবিল চামচ ঘি।

প্রণালী: চাল বেছে, ধুয়ে জল ঝরিয়ে নিতে হবে।

৭০

চিকেন, জল, অর্ধেক গরমমশলা, বড় এলাচ ও ৪টি তেজপাতা দিয়ে ৭-৮ মিনিট প্রেশার কুকারে সেদ্ধ করুন। ৫ মিনিট রাখলেই যথেষ্ট। স্টক ছেঁকে রাখুন, মশলা ফেলে দিন।

কুকারে তেল ও ঘি একসঙ্গে গরম করুন। থেঁতো করা বাকি গরম মশলা, এলাচ ও তেজপাতা ফোড়ন দিন, ফোড়ন হলে আদা ও কাঁচালংকাবাটা দিয়ে $^1/_2$ মিনিট নেড়ে চাল দিয়ে ভাজুন। চাল বেশ স্বচ্ছমতো হলে ফেটানো দই দিয়ে নাড়ুন মিনিটখানেক।

এবার চিকেন, নুন, চিনি ও গরম স্টক কুকারে ঢালুন। পুরো প্রেশার এলে আঁচ কমিয়ে ৪ মিনিট রেখে আঁচ বন্ধ করুন। খাবার সময় খুলবেন।

মাংসের বদলে চিংড়ি মাছ বা কাঁটা ছাড়া মাছের টুকরোও দেওয়া যায় এবং কাজুবাদাম বা কাগজি বাদামও দেওয়া যাবে।

সবুজ ফিশ ফ্রাই

উপকরণ: ৭৫০ গ্রাম মাছের ফিলে মোটা করে কাটা, ১ কাপ মিহি পেঁয়াজবাটা, ২ টেবিল চামচ কাঁচালংকাবাটা, ১ টেবিল চামচ আদাবাটা, ২টি লেবুর রস, রুচিমতো নুন, ৬-৮ টুকরো পাঁউরুটি, ২ কাপ ধনেপাতাকুচি, ২-৩টি ডিম, ভাজবার জন্য সাদা তেল।

প্রণালী: মাছের ফিলে ধুয়ে শুকনো করে মুছে পেঁয়াজবাটা, আদা, কাঁচালংকাবাটা, লেবুর রস ও নুন মাখিয়ে রাখুন যতক্ষণ সম্ভব। একরাতও রাখতে পারেন।

ধনেপাতা ধুয়ে, জল ঝরিয়ে একেবারে শুকনো করতে হবে। একটুও জল

থাকলে চলবে না। পাঁউরুটির ধার বাদ দিয়ে দিন। পাঁউরুটি ও ধনেপাতা মিক্সিতে দিয়ে অল্প অল্প করে চালান। গুঁড়ো চাই, বাটা নয়, ঝুরো ঝুরো হবে। রং হবে সবুজ।

এবারে ফেটানো ডিমে মাছ ডুবিয়ে পাঁউরুটির গুঁড়ো মাখান। চেপে চেপে গড়ুন। এই পর্যন্ত আগে করে রাখতে পারেন।

খাবার আগে ছাঁকা তেলে ভেজে নিন।

চকো চিপ রায়তা

উপকরণ: ২ কাপ জল ঝরানো টক দই, $^{১}/_{২}$ কাপ গাঢ় দুধ, ২ টেবিল চামচ বা রুচিমতো গুঁড়ো চিনি, আন্দাজমতো বিটনুন, ১ টেবিল চামচ আনারদানার হজমি (কিনতে পাওয়া যায়), ৫০ গ্রাম চকোলেট চিপস, ৫০ গ্রাম কুচোনো কাজুবাদাম ও আখরোট।

প্রণালী: দই ফেটিয়ে দুধ, চিনি বিটনুন ও হজমি মেশান। একটু চেখে দেখুন। নিজের রুচিমতো সব মশলা কমবেশি হতে পারে। বাকি সব উপকরণ মিশিয়ে ফ্রিজে রাখুন। ওপরে টাটকা আনারের দানা ছাড়তে পারেন সাজাবার জন্য।

স্টার ফ্রায়েড টোফু

টোফু মানে সয়াবিনের ছানা, কিনতে পাওয়া যায়। পরিবর্তে সাধারণ ছানাও ব্যবহার করা যাবে।

উপকরণ: ২৫০ গ্রাম টোফু, ২ টেবিল চামচ সাদা তেল, ২ টেবিল চামচ থাই গ্রিন কারি পেস্ট, ২ টেবিল চামচ পাতলা সয়া সস, ২টি গন্ধরাজ লেবুর পাতা, পাতলা কুচোনো, ১ চা চামচ চিনি, ১৫০ মিলি চিকেন স্টক, রুচিমতো নুন, ২৫০ গ্রাম ব্রকোলি, ছোট টুকরো করা, ২ টেবিল চামচ শুকনো ভাজা চিনেবাদাম।

প্রণালী: টোফু বা ছানা ছোট ছোট টুকরোয় কেটে নিন। এবার হালকা সাঁতলে নিতে পারেন অথবা কাঁচাও থাকতে পারে।

কড়ায় তেল গরম করে কারি পেস্ট দিয়ে নাড়ুন ২ মিনিট, মাঝারি আঁচে। সুগন্ধ বেরোলে সয়াসস, লেবুপাতা, চিনি, স্টক ও নুন দিন। ফুটলে আঁচ কমান। ব্রকোলির ফুল দিয়ে ৫ মিনিট হবে। ব্রকোলির একটু কচকচে ভাব থাকবে। শেষে চিনেবাদাম দিয়ে নামান। গা মাখা ঝোল থাকবে।

ব্রকোলির বদলে ফুলকপি বা মটরশুঁটি ব্যবহার করা যাবে।

জিঞ্জার-বিস্কিট লগ

উপকরণ: ৩০টি জিঞ্জার বিস্কুট, ১ কাপ ক্রিম, ২ টেবিল চামচ বা রুচিমতো গুঁড়ো চিনি, কয়েক ফোঁটা ভ্যানিলা এসেন্স।

প্রণালী: ক্রিম, চিনি ও ভ্যানিলা একসঙ্গে ফেটিয়ে নিন। জানেনেই তো

ক্রিম সবসময় বরফের ওপর বসিয়ে ফেটাতে হয়।

১টি বিস্কুটের ওপর একটু ক্রিম ছড়িয়ে তার ওপর আর একটি বিস্কুট রেখে আবার ক্রিম ছড়ান। এইভাবে পর পর ৬টি বিস্কুটের লেয়ার তৈরি করুন। তার মানে মোট ৫টি বিস্কুটের থাক হবে।

প্রতি থাক ফয়েল বা বাটার পেপার দিয়ে মুড়ে ফ্রিজে রাখুন ১২ ঘন্টা বা একরাত।

বার করে তেরছা ভাবে কেটে দিন যাতে ব্রাউন ও সাদা স্তর দেখা যায়।

মেনু নং ৪: হানি ওয়াটারমেলন টনিক, সবজি পরটা, কমলা কাবাব, পীনাট সস, চকো বানানা ফুল, কাজু-আনারস কারি।

হানি ওয়াটারমেলন টনিক

এই গোলাপি শরবতটি পুরো মেনুর সঙ্গে খাপ খায়। একেবারে হালকা বলে পেটও অতিরিক্ত ভরে না। অথচ খুবই সুস্বাদু।

উপকরণ: ১টি তরমুজ, ৪ কাপ ঠান্ডা জল, ২টি পাতিলেবুর রস, মধু রুচিমতো।

প্রণালী: তরমুজের খোসা ছাড়িয়ে, টুকরো করে কেটে বিচি বাদ দিন, ফ্রিজে রেখে খুব ঠান্ডা করে ব্লেন্ড করুন। জল ও লেবুর রসের সঙ্গে মেশান। স্বাদমতো মধু দিন।

লম্বা গ্লাসে বরফের টুকরো দিয়ে খেতে দিন। লেবুর বদলে কমলালেবুর রসও দেওয়া যাবে।

সবজি পরটা

উপকরণ: ৪ কাপ আটা, ১/২ কাপ কোরানো বাঁধাকপি, ১/২ কাপ ফুলকপি, ১/২ কাপ গাজর, ১/২ কাপ সেদ্ধ মটরশুঁটি ও ১/২ কাপ ধনেপাতাকুচি, ২ চা চামচ বা রুচিমতো কাঁচালংকাবাটা, ২ চা চামচ কোরানো আদা, ১ টেবিল চামচ পাতিলেবুর রস, ১ চা চামচ চাট মশলা, নুন ও মরিচ আন্দাজমতো, ভাজবার জন্য সাদা তেল।

প্রণালী: বাঁধাকপি, ফুলকপি, গাজর, থেঁতো করা সেদ্ধ মটরশুঁটি, ধনেপাতাকুচি, নুন, মরিচ, কাঁচালংকাবাটা, কোরানো আদা, লেবুর রস, চাট মশলা সব একসঙ্গে মেখে রাখুন ঘণ্টাখানেক। এতে সব তরকারি একটু নরম হয়ে যাবে (একটি ছোট পেঁয়াজও কুচিয়ে দেওয়া যাবে)।

আটাতে সবজির মিশ্রণ মাখুন, সবজি থেকে জল বেরোবে, প্রয়োজন হলে জল দেবেন। পরটার মতো মাখা হবে। লেচি কেটে একটু শুকনো আটা মাখিয়ে গোল করে ফেলুন।

প্রথমে গরম চাটুতে শুকনো সেঁকে তারপর ধার থেকে তেল ছড়িয়ে সোনালি করে ভেজে তুলুন। ইচ্ছে হলে ওপরে একটু মাখন দিয়ে পরিবেশন করুন।

কমলা কাবাব

উপকরণ: ৪টি টুকরো চিকেন, বুকের অংশ, ২টি বড় কমলালেবু, ২ টেবিল চামচ সয়াসস, নুন ও মরিচ আন্দাজমতো, বিন বা মটরশুঁটি প্রয়োজন মতো।

প্রণালী: হাড়ছাড়া চিকেন সরু লম্বা লম্বা করে কাটুন। বেকিং ডিশে পাশাপাশি রাখুন।

১টি কমলালেবুর রস বার করে সয়াসসের সঙ্গে মেশান। অন্যটির ফুল বার করে রাখুন।

চিকেনের ওপর লেবুর মিশ্রণ ঢালুন। তার ওপর নুন ও থেঁতো করা মরিচ ছড়ান। শেষে কমলালেবুর ফুল সাজান। ঢাকা দিয়ে ৭-৮ ঘণ্টা ফ্রিজে রাখুন। অতক্ষণ সময় না পেলে অন্তত ১-২ ঘণ্টা।

বিন আস্ত থাকবে; পাশের সরু সুতো ছাড়িয়ে নিন। শক্ত করে সেদ্ধ করে নিতে হবে। মটরশুঁটি ব্যবহার করলে সেদ্ধ করে নেবেন।

১৮০° সে. তাপমাত্রার আভেনে ২০ মিনিট বেক করুন। চিকেন উলটে দিয়ে আরও ১০ মিনিট বেক করুন। পুরো সেদ্ধ হওয়া চাই।

বিন বা মটরশুঁটি একটি ছড়ানো পাত্রে রেখে তার ওপর চিকেন সাজিয়ে খেতে দিন। সঙ্গে আলাদা ভাবে পিনাট সস সার্ভ করুন।

পিনাট সস

উপকরণ: ২ টেবিল চামচ পিনাট বাটার, ২/৩ কাপ নারকোলের দুধ, ৩ টেবিল চামচ গরম জল, ১/৪ চা চামচ লংকাগুঁড়ো, ২ টেবিল চামচ পাতলা সয়া সস, সামান্য নুন।

প্রণালী: সব একসঙ্গে মিশিয়ে কম আঁচে ১ মিনিট নেড়ে নিলেই হল।

চকো বানানা ফুল

উপকরণ: ৫০ গ্রাম ডার্ক চকোলেট, ৫০ গ্রাম মিল্ক চকোলেট, ৩০০ মিলি তৈরি গাঢ় কাস্টার্ড, ২টি বড় কলা।

প্রণালী: দু'রকম চকোলেট টুকরো করে গরম জলের পাত্রে বসিয়ে গলিয়ে নিন। নেড়ে নিন যাতে মিশ্রণটি মসৃণ হয়।

কাস্টার্ড একটি বড় বোলে ঢেলে গলানো চকোলেট মেশান। হালকাহাতে মেশাবেন যাতে দু'রকম রং বোঝা যায়। কলার টুকরো মিশিয়ে দিন।

৪টি লম্বা গ্লাসে ঢেলে ঘণ্টাখানেক ঠান্ডা করে খেতে দিন।

শুধু মিল্ক চকোলেটও ব্যবহার করা যাবে, অথবা নিজের পছন্দসই অন্য যে কোনও ফল।

চকোলেট চিপস ছড়িয়ে দিলে দেখাবে ভাল, খেতেও।

কাজুবাদাম ও আনারসের কারি

কারি ভারতে শুরু হলেও এখন পুরো বিশ্বে ছড়িয়ে পড়েছে। শ্রীলংকার এই কারিটি নতুনত্বের দাবি রাখে। রান্নার তেমন কোনও ঝামেলা নেই।

উপকরণ: ২৫০ গ্রাম কাজুবাদাম, ৩ টেবিল চামচ গাঢ় নারকোলের দুধ, ৬০০ মিলি নারকোলের দুধ, ৩টি ছোট পেঁয়াজ স্লাইস করা, ১ ডাঁটি লেমন গ্রাস কুচোনো, ১ ছড়া কারিপাতা, ২টি কাঁচালংকা কুচোনো, ১ টেবিল চামচ কোরানো আদা, ১ চা চামচ থেঁতো করা সরষে, $^১/_২$ চা চামচ হলুদ, $^১/_৪$ চা চামচ দারচিনির গুঁড়ো, রুচিমতো নুন, ২ কাপ আনারসের টুকরো।

৭৭

প্রণালী: কাজুবাদাম একরাত জলে ভিজিয়ে রাখতে হবে।

কাজুবাদাম ও নারকোলের গাঢ় দুধ ছাড়া বাকি সব উপকরণ একসঙ্গে মেশান। আঁচে বসান, ফুটে উঠলে আঁচ কমিয়ে ১৫ মিনিট হতে দিন, ঢাকা দেবেন না।

এবার কাজুবাদাম দিয়ে আরও ২০ মিনিট হবে, ইতিমধ্যে কাজু সেদ্ধ হয়ে যাবে ও ঝোল গাঢ় হবে।

শেষে নারকোলের গাঢ় দুধ দিয়ে আরও একটু হবে। এটি ঘরের তাপমাত্রায় খেতে বেশি ভাল লাগে।

সুপ ও স্যান্ডউইচ মেনু

মেনু নং ১: এমারেল্ড সুপ, রোস্ট চিকেন ও কোল স্ল স্যান্ডউইচ।

এমারেল্ড সুপ

উপকরণ: ২ কাপ ব্রকোলির ছোট টুকরো, $^{১}/_{২}$ কাপ মিহি কুচি পেঁয়াজ, ৪ কাপ স্টক, $^{১}/_{২}$ চা চামচ শুকনো বেসিল, নুন ও মরিচগুঁড়ো, ২ কাপ নরম ছানা, ১ কাপ ছাড়ানো সেদ্ধ মটরশুঁটি, ১ কাপ দুধ, কিছু সেদ্ধ ব্রকোলি কুচি ও মটরশুঁটি সাজাবার জন্য।

প্রণালী: সসপ্যানে ব্রকোলি, পেঁয়াজ, স্টক, বেসিল, নুন ও মরিচ একসঙ্গে কুকারে ৫ মিনিট সেদ্ধ করুন। ইতিমধ্যে ছানা, সেদ্ধ মটরশুঁটি ও দুধ ব্লেন্ডারে পিষে নিন।

সেদ্ধ ব্রকোলির মিশ্রণের মধ্যে ছানা দিয়ে একটু ফুটিয়ে নামান। ওপরে ব্রকোলির টুকরো ও মটরশুঁটি দিয়ে খেতে দিন।

চাইলে ব্রকোলির সঙ্গে ১ কাপ আলুর টুকরো দিয়ে আরও একটু পেটভরা সুপ বানানো যেতে পারে।

রোস্ট চিকেন ও কোল স্ল স্যান্ডউইচ

উপকরণ: ৬টি বড় বান, $^{৩}/_{৪}$ কাপ মেয়োনেজ, ২ টেবিল চামচ টম্যাটো কেচাপ, $^{১}/_{২}$ চা চামচ পাপরিকা, ১ টেবিল চামচ চিনি, ২ কাপ পাতলা কাটা সেদ্ধ চিকেন বা রোস্ট চিকেন, ২ কাপ মিহি কুচি বাঁধাকপি, ২টি গাজর কোরানো, ১টি ছোট ক্যাপসিকাম কুচি।

প্রণালী: বান ২ ভাগে কেটে একটু টোস্ট করে নিন। মেয়োনেজ, কেচাপ, পাপরিকা ও চিনি একসঙ্গে মিশিয়ে নিন। চিকেন, সব তরকারি ও মেয়োনেজের মিশ্রণ একসঙ্গে মেখে নিয়ে বানে স্যান্ডউইচের মতো ভরুন। সঙ্গে কাঁটা চামচ দেবেন খাবার জন্য। কিছু আলুর চিপস দিলে খুব ভাল লাগবে।

মেনু নং ২: প্রন বিস্কে, নাট রোস্ট।

প্রন বিস্কে

স্টক আগে বানিয়ে রেখে দেওয়া যাবে। নেহাত্ তাড়া থাকলে স্টক কিউব দিয়ে স্টক তৈরি করে নিতে পারেন । তবে টাটকা বাড়িতে তৈরি স্টকের স্বাদই আলাদা।

উপকরণ: ২ কাপ ছাড়ানো কুচো চিংড়ি, ১টি পেঁয়াজ কুচোনো, ২টি ছোট গাজর কোরানো, ২টি সেলারি ডাঁটা কুচোনো, ১টি বোকে গারনি, ৬$^{১}/_{৪}$

কাপ জল, ৩ টেবিল চামচ মাখন, $^{১}/_{৩}$ কাপ ময়দা, ১ টেবিল চামচ লেবুর রস, $^{১}/_{৪}$ চা চামচ কাবাব চিনির গুঁড়ো, ২ টেবিল চামচ গোবিন্দভোগ চাল, ৬ টেবিল চামচ ক্রিম, নুন ও মরিচ আন্দাজমতো, কুচোনো পার্সলি।

প্রণালী: চিংড়িমাছের খোলা ও মুড়ো ধুয়ে পরিষ্কার করে পেঁয়াজ, গাজর, সেলারি, বোকে গারনি ও জলের সঙ্গে ফুটতে বসান। ফুটে উঠলে ঢাকা দিয়ে আঁচ কমিয়ে ২০ মিনিট হতে দিন। ছেঁকে নিন স্টক। অবশ্য এই স্টকের বদলে চিকেন স্টকও ব্যবহার করতে পারেন।

সসপ্যানে মাখন গরম করে ময়দা দিয়ে ২ মিনিট ভাজুন। স্টক দিয়ে নাড়তে থাকুন সমানে যাতে ডেলা না বাঁধে। ফুটলে চিংড়িমাছ, লেবুর রস, কাবাব চিনির গুঁড়ো ও চাল দিয়ে ১০ মিনিট ফোটান। চাল পুরো সেদ্ধ হওয়ার পর নামান।

একটু ঠান্ডা হলে অর্ধেক সুপ ব্লেন্ড করে নিন। এবার বাকি সুপের সঙ্গে মিশিয়ে আবার আঁচে বসান। নুন ও মরিচ দিয়ে ফোটান, ২ মিনিট। আঁচ কমিয়ে ক্রিম মেশান। পার্সলিকুচি ছড়িয়ে খেতে দিন।

নাট রোস্ট

উপকরণ: ১৫০ গ্রাম নানারকম বাদামের কুচি, ১$^{১}/_{২}$ কাপ টাটকা পাঁউরুটির গুঁড়ো, ১টি পেঁয়াজ কুচোনো, ১ টেবিল চামচ সয়া সস, $^{১}/_{২}$ চা চামচ শুকনো থাইম, ১ চা চামচ লেবুর রস, ২ টেবিল চামচ মাখন, ১ চা চামচ তেল, ১৫০ মিলি জল, নুন ও মরিচ আন্দাজ মতো, ২ টেবিল চামচ সুইট অ্যান্ড সাওয়ার সস অথবা টম্যাটো কেচাপ।

বাদাম বলতে চিনেবাদাম, কাজুবাদাম, কাগজি বাদাম ও আখরোট।

প্রণালী: সব উপকরণ একসঙ্গে মেখে নিতে হবে। ৪৫০ গ্রাম লোফটিনে তেল মাখিয়ে চেপে চেপে ভরুন। ওপরে একটু মাখন ছড়ান। বেক করুন ১৯০° সে. উত্তাপে। সময় লাগবে ৩০-৪০ মিনিট। ওপরে একটু রং ধরা চাই।

খানিকটা ঠান্ডা হলে উপুড় করে বার করে কেটে কেটে খেতে দিন। সঙ্গে যে কোনও সস বা সলসা দেবেন।

মেনু নং ৩: গাজর ও টম্যাটো সুপ, চিজ ও ব্রকোলি র‍্যাপ।

গাজর ও টম্যাটো সুপ

উপকরণ: ২টি বড় গাজর, ৬টি বড় পাকা টম্যাটো, ৪ কাপ চিকেন বা ভেজিটেবল স্টক, নুন ও মরিচ আন্দাজমতো, ১ চা চামচ বেসিল বা মিক্সড্ হার্বস, ১ চা চামচ চিনি, ১ কাপ কমলালেবুর রস, ৪ চা চামচ ক্রিম, ১ মুঠো ধনেপাতাকুচি।

প্রণালী: গাজর ও টম্যাটো কুরিয়ে নিতে হবে। ২ কাপ স্টকের সঙ্গে গাজর ও টম্যাটো ১০ মিনিট প্রেশার কুকারে সেদ্ধ করে নিন। খানিকটা ঠান্ডা হলে ব্লেন্ড করে ছেঁকে নিন।

বাকি স্টক, নুন, মরিচ, চিনি ও বেসিল দিয়ে ফুটতে দিন ৫ মিনিট। আঁচ কমিয়ে কমলালেবুর রস মেশান। মিনিটখানেক পরে নামান।

ওপরে ক্রিম বা টক দই ও ধনেপাতা ছড়িয়ে খেতে দিন।

চিজ ও ব্রকোলি র‍্যাপ

উপকরণ: ৫টি পিতা ব্রেড ২ টুকরো করা।

ফিলিং: ১ টেবিল চামচ সাদা তেল, $^{১}/_{২}$ কাপ মিহি কুচি পেঁয়াজ, ২ কোয়া রসুনকুচি, ২টি কাঁচালংকা মিহি কুচোনো, ১ কাপ মিহি কুচোনো ব্রকোলি, রুচিমতো নুন, ২ টেবিল চামচ কর্নফ্লাওয়ার, $^{১}/_{৪}$ কাপ কোরানো চিজ, ১ কাপ শুকনো পাউরুটির গুঁড়ো, ভাজবার জন্য সাদা তেল।

এ ছাড়া চাই: ১টি মাঝারি পেঁয়াজ পাতলা গোল করে কাটা, ১টি টম্যাটো চাকাচাকা করে কাটা।

রসুনের চাটনি: ১টি আস্ত রসুন, ২টি পাতিলেবুর রস, ২ চা চামচ কাশ্মীরি লংকাগুঁড়ো, ১ চা চামচ লংকাগুঁড়ো, রুচিমতো নুন— সব একসঙ্গে বেটে নিন।

ফিলিং—প্রণালী: ফ্রাইংপ্যানে তেল গরম করে পেঁয়াজ, রসুন ও কাঁচালংকা ২ মিনিট ভাজুন। ব্রকোলি ও নুন দিয়ে মাঝারি আঁচে ৫ মিনিট নাড়াচাড়া করুন। ব্রকোলি কতকটা নরম হলে কর্নফ্লাওয়ার ও চিজ মেশান। একটু ঠান্ডা হলে ১০ ভাগে ভাগ করুন। ১০টি টিকিয়া গড়ে শুকনো পাঁউরুটি মাখিয়ে তেলে ভেজে নিন। নন-স্টিক চাটুতে ভাজবেন, কম তেল লাগবে।

প্রতিটি পিতা পকেটের মধ্যে ১টি করে টিকিয়া রেখে ওপরে রসুনের চাটনি মাখিয়ে পেঁয়াজ ও টম্যাটোর টুকরোর সঙ্গে খেতে দিন।

মেনু নং ৪: মালিগাটনি সুপ, চিজ চাটনি স্যান্ডউইচ।

মালিগাটনি সুপ

উপকরণ: ১টি বড় পেঁয়াজ, ২টি গাজর, ২ ডাঁটা সেলারি, ১টি আপেল, খোসা ছাড়িয়ে কুচোনো, ৪টি বড় টম্যাটো, ৩ টেবিল চামচ মাখন বা তেল, ১ টেবিল চামচ ময়দা, ২ চা চামচ কারি পাউডার, ১/২ চা চামচ ধনে গুঁড়ো, ৫ কাপ চিকেন স্টক, ১/২ কাপ তৈরি ভাত, ১ কাপ সেদ্ধ চিকেন কুচি, নুন ও মরিচ আন্দাজমতো, এক মুঠো কারিপাতা।

প্রণালী: পেঁয়াজ, গাজর, সেলারি, আপেল, টম্যাটো কুচিয়ে নিতে হবে।

সসপ্যানে মাখন ও তেল গরম করে পেঁয়াজ, গাজর, সেলারি ও আপেল দিয়ে নাড়ুন। নরম হয়ে সামান্য রং ধরতে শুরু করলে ময়দা, কারি পাউডার ও ধনেগুঁড়ো দিয়ে ১ মিনিট নাড়ুন।

এবার ৩ কাপ স্টক দিয়ে সমানে নাড়তে থাকুন। সমানে নাড়বেন, নয়তো ডেলা পেকে যাবে। ফুটে উঠলে টম্যাটো, নুন ও মরিচ দিয়ে হতে দিন। কুকারেও ১৫ মিনিট রাঁধা যাবে। সুপ ঠান্ডা হলে ব্লেন্ড করে নিন।

সুপ ছেঁকে নিয়ে আবার সসপ্যানে বসান। বাকি স্টক দিন, সেইসঙ্গে ও চিকেন দিয়ে ১০ মিনিট ফোটান, ধনেপাতা কুচি ছড়িয়ে খেতে দিন।

চিজ চাটনি স্যান্ডউইচ

উপকরণ: ৮ টুকরো পাঁউরুটি, ১/২ কাপ যে কোনও মিষ্টি চাটনি, ৪ কিউব চিজ, কোরানো মরিচগুঁড়ো আন্দাজমতো, ৩ টেবিল চামচ মাখন।

প্রণালী: ৪ টুকরো পাঁউরুটিতে চাটনি মাখান। ওপরে চিজ সমান ভাবে ভাগ করে ছড়িয়ে দিন। তার ওপর রুচিমতো মরিচগুঁড়ো দিন। নুন দেবেন না, কারণ চিজ যথেষ্ট নোনতা। অন্য টুকরো পাঁউরুটি দিয়ে ঢাকা দিন চেপে চেপে।

নন-স্টিক চাটুতে স্যান্ডউইচের ২ দিক সোনালি করে ভেজে নিন।

চিজ ইচ্ছে হলে আরও বেশি দেওয়া যাবে। কোরানো চিজের বদলে চিজ স্লাইস ব্যবহার করতে পারেন।

মেনু নং ৫: থাই চিকেন ও নারকোলের সুপ, পেস্তো স্যান্ডউইচ।

থাই চিকেন ও নারকোলের সুপ

উপকরণ: ২ কাপ সেদ্ধ চিকেন কুচি, ১১/২ কাপ নারকোলের দুধ, ৫০০ মিলি চিকেন স্টক, ৪টি গাছ পেঁয়াজ, সাদা ও সবুজ অংশ কুচোনো, ২ ডাঁটা লেমন গ্রাস কুচোনো, ১টি পাতিলেবু, ১ চা চামচ কোরানো আদা, ১ টেবিল চামচ পাতলা সয়া সস, ২টি কাঁচালংকা, ১/২ কাপ ধনেপাতাকুচি, ১ টেবিল চামচ কর্নফ্লাওয়ার, নুন ও সাদা মরিচগুঁড়ো, ১ চা চামচ লেবুর কোরানো খোসা।

প্রণালী: নারকোলের দুধ, স্টক, গাছ পেঁয়াজ, লেমন গ্রাস, লেবুর খোসা, ১ চা চামচ লেবুর রস, আদা, সয়াসস ও কাঁচালংকা (বাদ দেওয়া চলে) একসঙ্গে আঁচে বসান। ফুটে উঠলে সেদ্ধ চিকেন ও ধনেপাতাকুচি দিন। আবার ১০ মিনিট ফুটিয়ে নামান।

পেস্তো স্যান্ডউইচ

পেস্তো একটি ইটালিয়ান সস, সাধারণত টাটকা বেসিল পাতা ও চিলগুজা দিয়ে তৈরি হয়। এই দুটিই সহজলভ্য নয় ও চিলগুজা অসম্ভব দামি বাদাম। তাই আমি ধনেপাতা ও কাজুবাদাম ব্যবহার করলাম।

উপকরণ: ৪টি ব্রেড রোল, $^১/_২$ কাপ পেস্তো সস, ৮টি মোৎজারেলা চিজ স্লাইস অথবা কোরানো চিজ, ৮টি মোটা গোল টুকরো টম্যাটো।

পেস্তো সস: ১ কাপ চেপে চেপে ভরা ধনেপাতাকুচি, $^১/_২$ কাপ পার্সলি কুচি (না দিলেও চলে), $^১/_২$ কাপ কুচোনো কাজুবাদাম। নুন ও মরিচ রুচিমতো, $^১/_৪$ কাপ অলিভ অয়েল বা সাদা তেল।

প্রণালী: পেস্তো সসের জন্য সব উপকরণ একসঙ্গে ব্লেন্ড করে নিতে হবে। বেসিলপাতা দিয়েও পেস্তো হয়। পেস্তো সস ২-১ দিন আগে তৈরি করে ফ্রিজে রাখা যাবে।

ব্রেড রোল আধখানা করে কেটে পেস্তো মাখিয়ে নিন। এবার একটির ওপর টম্যাটো, চিজ স্লাইস বা কোরানো চিজ দিয়ে অন্য টুকরোটি দিয়ে ঢাকুন। এইভাবে সবকটি তৈরি করে নিন।

সঙ্গে কাঁটা দেবেন খাবার সুবিধের জন্য।

মেনু নং ৬: ডাবের সুপ, চিলি ডগ।

ডাবের সুপ

উপকরণ: ৫ $^{১}/_{২}$ কাপ ডাবের জল, ২৫০ গ্রাম হাড়ছাড়া চিকেনের মিহি কুচি, ১ কাপ ডাবের শাঁস কুচোনো, ৬টি বিন কুচোনো, $^{১}/_{২}$ কাপ ছাড়ানো মটরশুঁটি, ১ টেবিল চামচ সাদা তেল, ১ চা চামচ আদা-রসুনবাটা, ২টি কাঁচালংকা কুচোনো, ২ ডাঁটা লেমন গ্রাস, সাদা অংশটুকু কুচোনো, ১ $^{১}/_{২}$ টেবিল চামচ পাতলা সয়া সস, ১ চা চামচ চিনি, আন্দাজমতো নুন, ১ চিমটি আজিনোমোটো, ১ টেবিল চামচ কর্নফ্লাওয়ার, একমুঠো ধনেপাতা কুচি, স্বাদমতো লেবুর রস।

প্রণালী: ৫ কাপ ডাবের জল, চিকেনের কুচি, ডাবের শাঁস, বিন ও মটরশুঁটি একটি ডেকচিতে বসান, ফুটে উঠলে ঢাকা দিয়ে আঁচ কমিয়ে দিন। চিকেন পুরো সেদ্ধ হলে নামান।

একটি সসপ্যানে তেল গরম করে আদা-রসুনবাটা দিয়ে নাড়ুন, সেইসঙ্গে কাঁচালংকাকুচিও দিন। ভাজা গন্ধ বেরোলে চিকেন সুপ ঢালুন। লেমন গ্রাস, সয়া সস, চিনি, নুন ও আজিনোমোটো দিন। ২ মিনিট ফুটবে।

এবার কর্নফ্লাওয়ারটুকু বাকি ডাবের জলে গুলে ঢালুন ও সমানে নাড়তে থাকুন। নইলে ডেলা পেকে যাবার সম্ভাবনা। ৫ মিনিট ফুটবে। ধনেপাতা ও লেবুর রস ছড়িয়ে নামান।

এতে অন্য সবজিও দেওয়া যাবে, যেমন ব্রকোলির ছোট্ট টুকরো।

চিলি ডগ

উপকরণ: ৬টি বড় সসেজ, ৬টি হট ডগ বান, ২ টেবিল চামচ মাখন, ১/৩ কাপ কোরানো চিজ, ১/৩ কাপ পেঁয়াজের মিহি কুচি।

চিলি কিমা: ২ টেবিল চামচ সাদা তেল, ১ টি ছোট পেঁয়াজ, মিহি কুরোনো, ১টি ক্যাপসিকাম, মিহি কুচোনো, ২৫০ গ্রাম কিমা, ১/২ কাপ টম্যাটো কেচাপ, ১/২ কাপ টম্যাটো পিউরি, ১/২ কাপ সেদ্ধ রাজমা, ১ চা চামচ কাশ্মীরি লংকাগুঁড়ো, নুন ও মরিচ আন্দাজমতো।

প্রণালী: হট ডগ বান, অর্থাৎ লম্বাটে বান। মধ্যে থেকে ২ টুকরো করে চিরে নিন। সসেজ সেদ্ধ করে নিতে হবে ৫ মিনিট। বান মাখনে একটু সেঁকে নিন নন-স্টিক চাটুতে।

প্রতিটি বানে ১টি করে সসেজ রেখে ওপরে চিলি কিমা দিয়ে অন্য টুকরো বান দিয়ে ঢেকে দিন। ওপরে কোরানো চিজ ও পেঁয়াজকুচি ছড়িয়ে দেবেন।

সঙ্গে কাঁটা ও ছুরি দেবেন খাবার সুবিধের জন্য।

চিলি কিমা: তেলে পেঁয়াজ ও ক্যাপসিকাম নরম করে ভাজুন। কিমা দিয়ে ভাল করে কষে কেচাপ, টম্যাটো পিউরি, সেদ্ধ রাজমা, লংকা, নুন ও মরিচ দিয়ে ১০ মিনিট হতে দিন। কিমা সেদ্ধ হয়ে বেশ গাঢ় হলে নামান, ধনেপাতাকুচিও ছড়াতে পারেন।

লাঞ্চ বক্স

উপ্‌মা

সুজি খুবই পুষ্টিকর উপকরণ। সবচেয়ে আনন্দের কথা রান্না হয় নিমেষে। লাঞ্চ বক্সে ভরে সঙ্গে নিশ্চয়ই এক টুকরো লেবু দেবেন। লেবুর রস ছড়িয়ে না খেলে ঠিক স্বাদ পাওয়া যাবে না।

উপকরণ: ১ কাপ সুজি, ২টি শুকনো লংকা, ১টি কাঁচালংকা কুচোনো, ১ চা চামচ কোরানো আদা, ১ চা চামচ সরষে, ১/২ কাপ সেদ্ধ মটরশুঁটি, ১ টেবিল চামচ যে কোনও বাদামের কুচি, ১ ছড়া কারিপাতা, রুচিমতো নুন, ২ টেবিল চামচ সাদা তেল, ১ টেবিল চামচ নারকোল কোরা সাজাবার জন্য (বাদ দেওয়া চলে)।

প্রণালী: কড়াতে তেলটুকু গরম করে সরষে, শুকনো লংকা ছিঁড়ে ও কারিপাতা ফোড়ন দিন। ফোড়ন চমকে উঠলে আদা, কাঁচালংকা ও সুজি দিয়ে ভাল করে ভাজুন। আঁচ মাঝারি থাকবে।

সুজি ভাজার গন্ধ বেরোলে মটরশুঁটি, বাদাম, নুন ও ২ কাপ গরম জল দিয়ে নাড়তে থাকুন। ঢাকা দিয়ে হতে দিন। ৫ মিনিট পর ঢাকা খুলুন। সুজি

দলা পাকিয়ে গেলে ভেঙে দিন। সুজি নরম ও শুকনো হওয়া চাই।

ঠান্ডা হলে লাঞ্চ বক্সে ভরুন। ওপরে নারকোলকোরা ছড়িয়ে দেবেন।

এত সেদ্ধ কুচো চিংড়ি, পনিরের টুকরো বা অন্য সবজিও দেওয়া যাবে।

ডিমের পরটা

পরটা সব সময়ই লাঞ্চ বক্সের জনপ্রিয় আইটেম। একলা যাঁরা থাকেন, তাঁদের পক্ষে সবসময় পরটা তৈরি হয়তো হয়ে ওঠে না। তবে এক আধদিন বানিয়েই দেখুন না; বিশেষ করে যদি সাহায্য করার কেউ থাকে।

উপকরণ: ২ কাপ আটা, ১ টেবিল চামচ সাদা তেল, ১ টিপ নুন।

পুর: ৪টি ডিম, ২টি মাঝারি পেঁয়াজ (মিহি কুচোনো), রুচিমতো নুন, ২টি কাঁচালংকা, ২ টেবিল চামচ ধনেপাতাকুচি।

প্রণালী: ডিম ক'টি ফেটিয়ে তার সঙ্গে বাকি সব উপকরণ মিশিয়ে ২টি অমলেট তৈরি করে নিন। তৈরি অমলেট মিহি করে কুচিয়ে রাখুন। ৪ ভাগে ভাগ করুন।

আটা, তেল ও নুন একসঙ্গে মিশিয়ে জল দিয়ে মেখে নিন। ৪ ভাগে ভাগ করুন।

১ ভাগ আটা নিয়ে বড় গোল করে বেলুন। ওপরে সামান্য তেল মাখিয়ে ১ ভাগ ডিমের কুচি ছড়ান মধ্যে। রুটিকে চারধার থেকে মুড়ে চৌকো আকার দিন, ধারগুলি একটু জল দিয়ে আটকে দিন।

শুকনো আটা মাখিয়ে আবার বেলুন। আকার চৌকোই থাকবে আর খুব পাতলা হবে না।

৯০

শুকনো গরম চাটুতে প্রথমে ২ দিক সেঁকে তারপর তেল দিয়ে ভাজুন, এভাবে ভাজলে তেল কম লাগে। আচারের সঙ্গে বক্সে প্যাক করুন।

ডিমের বদলে সেদ্ধ সবজি দিয়েও হবে।

কার্ড রাইস

বিশেষ করে গরমকালে এর চেয়ে ভাল টিফিন আর হয় না। একেবারে পুরো মিল। পেট ঠান্ডা থাকে, হজম হতে সুবিধে হয় এবং পুষ্টিকর।

উপকরণ: ২ কাপ নরম ভাত, ১/২ কাপ গাঢ় টক দই, নুন ও চিনি স্বাদ অনুযায়ী, ১টি কাঁচালংকা কুচি (না দিলেও চলে), ১ টেবিল চামচ কাজুবাদাম কুচি বা চিনেবাদাম।

ফোড়ন: ১ চা চামচ সাদা তেল, ২টি শুকনো লংকা, ১/২ চা চামচ সরষে, ৮-১০টি কারিপাতা, ১ চা চামচ কোরানো আদা।

সঙ্গে দেবার জন্য: প্রয়োজনমতো শশাকুচি, কোরানো গাজর ১ টেবিল চামচ, কোরানো নারকোল (বাদ দেওয়া চলে), ধনেপাতাকুচি, ২ টেবিল চামচ লাল বেদানা।

প্রণালী: তৈরি নরম ভাত (আলোচাল আবশ্যক) সামান্য চটকে নিতে হবে। তার সঙ্গে বাকি সব উপকরণ মিশিয়ে নিন।

ফোড়ন: তেল গরম করে বাকি সব উপকরণ ফোড়ন দিন। ফোড়ন ভাজা হলে ভাতের ওপর ঢেলে দিন।

ঠান্ডা হলে টিফিন বক্সে ভরুন। সব সবজি আলাদাভাবে প্যাক করবেন। খাবার সময় মিশিয়ে খেলেই হল।

ডিমের শুকনো তরকারি

লাঞ্চ বক্সে হাত-রুটি অথবা সাধারণ পরটার সঙ্গে প্যাক করুন এই সুস্বাদু তরকারিটি।

উপকরণ: ৮টি ডিম, ১ টেবিল চামচ সাদা তেল, ২টি বড় পেঁয়াজ কুরোনো, ১ চা চামচ জিরে, ১/৪ চা চামচ হলুদ, ৪টি বড় টম্যাটো কুচোনো, ৪টি কাঁচালংকা কুচোনো, নুন ও মরিচ রুচিমতো।

প্রণালী: ডিম ক'টি সেদ্ধ করে নিতে হবে। ইচ্ছে হলে সেদ্ধ ডিম তেলে লালচে করে ভেজে নিতে পারেন। এই তেল বাড়তি, প্রতিটি ডিম ৪ টুকরোয় কেটে নিন।

কড়ায় তেলটুকু গরম করে নিয়ে ফোড়ন দিন, ফোড়ন চমকে উঠলে পেঁয়াজ দিয়ে ভাজাভাজা করুন। হালকা রং ধরলে হলুদ, টম্যাটোকুচি, কাঁচালংকা, নুন ও মরিচ দিয়ে ভাজতে থাকুন।

টম্যাটো নরম হয়ে সব বেশ মাখামাখা হলে ডিমের টুকরো দিয়ে মিনিট খানেক নেড়ে নামান। ওপরে বেশ খানিকটা ধনেপাতা ছড়িয়ে দিলে যেতে খুব ভাল লাগবে।

মিক্সড স্প্রাউট

উপকরণ: ১ কাপ অংকুরিত মুগ, ১ কাপ অংকুরিত ছোলা, ১টি পেঁয়াজ মিহি কুচোনো, ১ চা চামচ জিরে, ১/৪ চা চামচ সরষে, ১/৪ চা চামচ লংকাগুঁড়ো, ১ টিপ হলুদ, ১ চা চামচ চিনি, ১ টেবিল চামচ সাদা তেল, ১

টিপ হিং, ২ টেবিল চামচ নারকোল কোরা, ১ টুকরো লেবু, রুচিমতো নুন।

প্রণালী: অংকুরিত ছোলা ও মুগ ভাল করে ধুয়ে নিতে হবে।

কড়ায় তেল গরম করে জিরে, সরষে ও হিং ফোড়ন দিন। ফোড়ন চমকে উঠলে পেঁয়াজ দিয়ে ২ মিনিট নাড়ুন। ছোলা, মুগ ও বাকি সব উপকরণ দিয়ে ভাল করে নেড়ে, $^{১}/_{৪}$ কাপ জল দিয়ে ঢাকুন।

জল শুকোনো চাই; ছোলা ও মুগ হালকা সেদ্ধ হবে। লাঞ্চ বক্সে ভরে ওপরে নারকোল কোরা ও ধনেপাতাকুচি ছড়িয়ে দিন। লেবুর টুকরো সঙ্গে দেবেন। খাবার সময় লেবুর রস ছড়িয়ে নেবেন।

মিট লোফ

যেহেতু মিটলোফ ঠান্ডা খেতেও খুবই উপাদেয়, লাঞ্চ বক্স অথবা পিকনিকের জন্য একেবারে ঠিক।

উপকরণ: ৪ স্লাইস পাঁউরুটি, $^{১}/_{২}$ কাপ দুধ, ৪৫০ গ্রাম কিমা, ২টি ডিম, ১টি বড় পেঁয়াজ মিহি কুচোনো, ১ টেবিল চামচ ওয়ার্স্টারশায়ার সস, ২ টেবিল চামচ টম্যাটো কেচাপ, নুন ও মরিচ আন্দাজমতো।

প্রণালী: পাঁউরুটির টুকরোগুলি মিক্সারে ঘুরিয়ে গুঁড়ো করে নিন। অবশ্য হাতেও কুচি করে নেওয়া যেতে পারে। পাঁউরুটির গুঁড়োর ওপর দুধ ঢেলে ভিজতে দিন।

কিমাতে ভেজা পাঁউরুটি, ডিম, পেঁয়াজ, ওয়ার্স্টারশায়ার সস, কেচাপ, নুন ও মরিচ ভাল করে মেশান। ইচ্ছে হলে কিছু ধনেপাতা বা পার্সলিকুচিও দেওয়া যাবে।

একটি লোফটিনে তেল মাখান ভালভাবে। কিমার মিশ্রণ ঢালুন। চাইলে ওপরে একটু শুকনো পাঁউরুটির গুঁড়ো অথবা কর্নফ্লেক্স ছড়ানো যেতে পারে। ওপরে কিছুটা মাখন ছড়িয়ে দিন। মাখনে আপত্তি থাকলে দেবেন না।

আগে থেকে গরম করে রাখা ২০০° সে. আভেনে বেক করুন। সময় লাগবে ৪০-৫০ মিনিট। ঠান্ডা হলে তবেই কাটবেন।

কিমা চিকেন বা মাংসের হতে পারে। তবে মিহি কাটা চাই। কিমার মধ্যে চারটি সেদ্ধ ডিমও পাশাপাশি সাজিয়ে দেওয়া যায় বেক করার আগে।

চিকেন স্যালাড

চিকেন খেতে সকলেই ভালবাসেন। এবং অতিরিক্ত ফ্যাট না থাকায় কারুরই চিকেন খেতে কোনও বাধা নেই। তবে সঙ্গে সবজি ও ফল থাকলে পুরো আহার হয়। লাঞ্চ বক্সে এর সঙ্গে যে কোনও একটা ফলও প্যাক করতে ভুলবেন না।

উপকরণ: ২টি বড় টুকরো চিকেন, ১/৪ চা চামচ নুন, ১/৪ চা চামচ মরিচ, ২ চা চামচ সাদা তেল, ৬টি লেটুসপাতা, ৮টি ছোট টম্যাটো, ১টি চিজ কিউব, কোরানো, ফ্রেঞ্চ ড্রেসিং।

প্রণালী: চিকেন সেদ্ধ করে হাড় থেকে ছাড়িয়ে নিয়ে নুন ও মরিচ মাখিয়ে রাখুন।

ফ্রাইংপ্যানে তেল গরম করে চিকেনের কুচি হালকা করে সাঁতলে নিন। বেশি তেলে আপত্তি থাকলে বাদ দিন।

লেটুসপাতা ধুয়ে, শুকনো করে মুছে হাত দিয়ে ছিঁড়ে ছিঁড়ে নিন। টম্যাটো আধখানা করে কাটুন।

লেটুস ও টম্যাটোর সঙ্গে ড্রেসিং মিশিয়ে লাঞ্চ বক্সের নীচে সাজান। ওপরে চিকেন দিয়ে শেষে কোরানো চিজ দিন।

বেঁচে থাকা রোস্ট চিকেনের টুকরো দিয়েও বানানো যাবে। সঙ্গে অন্য সবজি হালকা সেদ্ধ করেও ব্যবহার করা চলবে।

র‍্যাপ অ্যান্ড রোল

তর্তিয়া কিনতে পাওয়া যায় যে কোনও বড় দোকানে। নতুবা সাধারণ ময়দা বা আটার রুটি দিয়েও বানানো যাবে।

উপকরণ: ১ টেবিল চামচ পাতিলেবুর রস, ১ চা চামচ লংকাগুঁড়ো, ১ চা চামচ জিরেগুঁড়ো, ১ চা চামচ রসুনবাটা, রুচিমতো নুন, ৩০০ গ্রাম হাড়ছাড়া চিকেনের টুকরো, ৪ টেবিল চামচ সাদা তেল, ৬টি তর্তিয়া, একমুঠো ধনেপাতাকুচি, ১টি বড় পেঁয়াজ পাতলা স্লাইস করা।

প্রণালী: লেবুর রস, লংকা, জিরে, রসুনবাটা ও নুন একসঙ্গে মিশিয়ে চিকেনের টুকরোয় মাখিয়ে রাখুন ১ ঘণ্টা বা ৩০ মিনিট।

কড়ায় তেল গরম করে চিকেন দিয়ে তেজ আঁচে মিনিটখানেক নাড়াচাড়া করে আঁচ কমিয়ে ঢাকা দিন। চিকেন সুসিদ্ধ হলে শুকিয়ে নিন। ঠান্ডা হলে ৬ ভাগে ভাগ করে রাখুন।

তর্তিয়াগুলি গরম করে নিয়ে ১টি রুটিতে ১ ভাগ চিকেন দিয়ে তার ওপর ধনেপাতা, পেঁয়াজ স্লাইস ভরে রোল করুন।

লাঞ্চ বক্সে ভরে আলাদাভাবে টক দই অথবা সলসা প্যাক করে দিন। খাবার সময় রোলের ওপর দিয়ে খাবেন।

টিফিন বান

প্যাক করার সময় ফয়েলসুদ্ধ প্যাক করবেন। খাবার সময় খুলে নিলেই হল।

উপকরণ: ৬টি বড় গোল বান, ১ কাপ বাঁধাকপি সরু করে কাটা, ১/২ কাপ গাজর, কোরানো, ১/২ কাপ ক্যাপসিকাম, সরু করে কাটা, ১/২ কাপ পেঁয়াজ, মিহি কুচোনো, ১/২ কাপ মুলো কোরানো, ১ চা চামচ সাদা তেল, ২ চা চামচ ক্রিম (না দিলেও চলে), ২ চা চামচ লেবুর রস, ১/২ চা চামচ গুঁড়ো গরম মশলা, ৩ কাপ চিজ কোরানো, ১/৪ কাপ দুধ, নুন ও টাটকা গুঁড়োনো মরিচ, আন্দাজমতো।

প্রণালী: বানগুলি মাঝখান থেকে দু'ভাগে কেটে মধ্যে থেকে খানিকটা পাঁউরুটি বার করে নিন। চারপাশের খোল যেন ঠিক থাকে।

আলাদাভাবে বাঁধাকপি থেকে গরমমশলা অবধি সব উপকরণ একসঙ্গে মিশিয়ে নিন। ৬টি আধখানা বানের মধ্যে সমানভাবে ভরুন।

একটি সসপ্যানে চিজ, দুধ, ও মরিচ মিশিয়ে একটু নাড়ুন। চিজ গলে গেলে নামান।

সবজির ওপর সমান ভাগে ছড়িয়ে দিন চিজ সস। একটি করে বান দিয়ে ঢাকুন। প্রতিটি পুরভরা বান ফয়েল দিয়ে মুড়ে ৫ মিনিট গ্রিল করে নিন।

চিলি রাইস বার্গার

উপকরণ: ২ কাপ তৈরি ভাত, ১ কাপ সেদ্ধ রাজমা, ২ চা চামচ চিলি ফ্লেক্স, ১ চা চামচ কোরানো আদা, $^{১}/_{২}$ কাপ কোরানো গাজর, ২ টেবিল চামচ টম্যাটো কেচাপ, নুন ও মরিচ আন্দাজমতো, ১ চা চামচ লেবুর রস, ২ টেবিল চামচ ধনেপাতাকুচি, ভাজবার জন্য সাদা তেল, ৪টি বার্গার বান, ১টি বড় টম্যাটো গোল চাকা করে কাটা, সামান্য মাখন।

প্রণালী: তৈরি ভাত ও সেদ্ধ রাজমা আলাদা আলাদাভাবে সামান্য চটকে নিন। এবার চিলি ফ্লেক্স, আদা, গাজর, টম্যাটো কেচাপ, লেবুর রস ও ধনেপাতার সঙ্গে ভাল করে মেখে নিন। বেশ টাইট মাখা চাই। বেশি নরম মনে হলে সামান্য টাটকা পাঁউরুটির গুঁড়ো মেশানো যেতে পারে। ৪ ভাগে ভাগ করে নিন। টিকিয়ার আকারে গড়ুন।

নন-স্টিক চাটুতে কম তেলে দু'দিক সোনালি করে ভেজে তুলুন বার্গার কটি।

বার্গার বানগুলি মধ্যে থেকে কেটে কাটা দিকগুলি সামান্য মাখনে ভেজে নিন।

১টি বানের ওপর ১টি বার্গার রেখে তার ওপর টম্যাটোর একটি চাকা রাখুন। অন্য বানের টুকরো দিয়ে ঢাকুন। টুথপিক দিয়ে আটকে দেবেন।

পেপার ন্যাপকিন দিয়ে মুড়ে লাঞ্চ বক্সে প্যাক করুন। সঙ্গে আলাদাভাবে কোনও রেলিশ বা স্যালাড প্যাক করে দেবেন।

ওয়ান-ডিশ মিল

মোল্ডেড রাইস সাপার

শুধুমাত্র নিজের জন্য রাঁধতে হলে এক পদের রান্নার তুলনা নেই। পেট ভরা খাবার অথচ বেশি ঝামেলাও নেই।

উপকরণ: ১ টেবিল চামচ মাখন বা সাদা তেল, ১ কাপ গাছ্ পেঁয়াজ কুচোনো, ১ কাপ চিকেন সেদ্ধ কুচি, ৪ কাপ তৈরি ভাত, ৪ কিউব চিজ কোরানো, ২টি সেদ্ধ ডিম চাকাচাকা করে কাটা, নুন ও মরিচ আন্দাজ মতো, ১ কাপ টম্যাটো কেচাপ, ২ টেবিল চামচ মাখন।

প্রণালী: একটি নন-স্টিক ফ্রাইংপ্যানে মাখন বা তেল গরম করে গাছ্ পেঁয়াজ কুচি ভাজুন। একটু নরম হলে সেদ্ধ চিকেনকুচি দিয়ে ৩-৪ মিনিট নাড়ুন।

অন্য একটি পাত্রে ডিম ও মাখন ছাড়া বাকি সব উপকরণ একসঙ্গে মেলান। এবার ভাজা চিকেন মিশিয়ে নিন।

একটি বেকিং পাত্রে তেল মাখিয়ে চিকেনের মিশ্রণ ঢালুন। ওপরটি সমান করে মাখন ছড়িয়ে দিন। শেষে সেদ্ধ ডিমের টুকরো দিয়ে সাজান। ঢাকা দিয়ে ১০ মিনিট বেক করুন ২০০ সে. উত্তাপের আভেনে। স্যালাডের সঙ্গে খেতে দিন।

কুকারেও স্টিম করা যায় বা রাইস কুকারে। চিকেনের বদলে হ্যাম, মাছ, সসেজ বা মেটে দিয়ে রাঁধা যাবে।

ভুনি খিচুড়ি

ঠিকমতো রাঁধতে পারলে একেবারে পোলাউ বলে মনে হয়।

উপকরণ: ২ কাপ বাসমতি চাল, ৪৫০ গ্রাম মাংস, $^১/_২$ কাপ মুগের ডাল, ২টি মাঝারি আলু, ১টি বড় পেঁয়াজ পাতলা স্লাইস করা, ৪টি কাঁচালংকা চেরা, $^১/_২$ কাপ নারকোলের দুধ, টিনের দুধও চলবে, ১ চা চামচ হলুদ, ৪ টেবিল চামচ সাদা তেল, ২ টেবিল চামচ ঘি, ২টি ছোট এলাচ, ২ টুকরো দারচিনি, ২টি লবঙ্গ, $^১/_২$ চা চামচ কোরানো জায়ফল, রুচিমতো নুন, ইচ্ছে হলে রুচিমতো চিনি।

একসঙ্গে বাটুন: ১টি শুকনো লংকা, ২ কোয়া রসুন, ২$^১/_২$ সেমি আদা, ১ ছোট আঁটি ধনেপাতা।

প্রণালী: মাংস ছোট টুকরোয় কাটতে হবে। ডাল শুকনো খোলায় ভাজতে হবে। আলু ৪ টুকরোয় কেটে নিন।

ডেকচিতে তেল গরম করে পেঁয়াজ গোলাপি করে ভাজুন। বাটা মশলা, চেরা কাঁচালংকা, গরমমশলা ও জায়ফল দিন। একবার নেড়ে মাংস ও অল্প নুন দিন। ভাল করে কষে ১ কাপ জল, আলু ও সামান্য নুন দিয়ে কুকারে ৭ মিনিট সেদ্ধ করুন।

কুকারে এবার ঘি গরম করে চাল ছাড়ুন। ভাজতে থাকুন চাল বেশ স্বচ্ছমতো হলে হলুদ দিয়ে একবার নেড়ে ডাল, তৈরি মাংস, নারকোলের দুধ,

চিনি ও ২$^{১}/_{২}$ কাপ জল দিন। কুকার ঢাকুন। পুরো প্রেশার হলে আঁচ কমিয়ে ৪ মিনিট হতে দিন।

কুকার নিজে থেকে ঠান্ডা হলে খুলবেন। চাল যদি একটু ঘেঁটেও যায়, ক্ষতি নেই।

কাশ্মীরি বিরিয়ানি

সত্যি বলতে কি, বিরিয়ানির আদত কথাই হল ডেকচি বা হাঁড়িতে স্তরে স্তরে ভাত ও মাংস সাজিয়ে দম দেওয়া। কিন্তু সে বিরিয়ানি স্বাদে ও গন্ধে যতই ভাল হোক না কেন রান্নাটা যে সময়সাপেক্ষ তা অনস্বীকার্য। ব্যস্ত মেয়েদের জন্য আমি তাই প্রেশার কুকারে সহজ রান্নার পদ্ধতি দিলাম, খেতে কিন্তু ট্র্যাডিশনাল বিরিয়ানির থেকে কিছু কম নয়। এই রান্নাটির জন্য সেদ্ধ বাসমতি চাল হলে খুব ভাল হয়।

উপকরণ: ১ লিটার দুধ, ১ চা চামচ মৌরি গুঁড়ো, $^{১}/_{২}$ চা চামচ শুকনো আদার গুঁড়ো, ১ চা চামচ কাশ্মীরি লংকাগুঁড়ো, ২টি বড় এলাচ, ১ পাপড়ি জয়িত্রী, ১ টেবিল চামচ আস্ত গরম মশলা, ২টি তেজপাতা।

আধ কেজি সেদ্ধ বাসমতি চাল, ১ কেজি মাংস, ১ টেবিল চামচ ঘি, ১ টেবিল চামচ সাদা তেল, ১ টেবিল চামচ আস্ত গরমমশলা, ১ চা চামচ আদাবাটা, $^{১}/_{৩}$ কাপ টক দই, $^{১}/_{২}$ চা চামচ কাশ্মীরি লংকাগুঁড়ো, ১০টি কাগজি বাদাম, ১০টি কাজুবাদাম, ৭-৮টি আখরোটের টুকরো, ২০টি সোনালি কিশমিশ, রুচিমতো নুন, $^{১}/_{২}$ চা চামচ গরম মশলার গুঁড়ো।

ওপরে দেবার জন্য: ১০টি কালো আঙুর, ১০টি সবুজ আঙুর, ১০ টি চেরি, $^{১}/_{২}$ কাপ লাল বেদানার দানা।

প্রণালী: মাংস ও সব উপকরণ একসঙ্গে কুকারে সেদ্ধ করুন ৮ মিনিট। স্টক ছেঁকে মাংস আলাদা রাখুন। আস্ত মশলা ফেলে দিন। এটা আপনি একদিন আগেও করতে পারেন।

চাল ভেজা কাপড়ে মুছে নেবেন, ধোবেন না।

কুকারে ঘি ও তেল একসঙ্গে গরম করে থেঁতো করা আস্ত গরমমশলা, বড় এলাচ ও তেজপাতা ফোড়ন দিন। ফোড়নের গন্ধ বেরোলে আদাবাটা, ফেটানো দই ও লংকাগুঁড়ো দিয়ে কষুন। জল শুকোলে চাল দিয়ে ২-৩ মিনিট ভাল করে ভাজুন। এবার মাংস, বাদাম, কাজুবাদাম, আখরোট, কিশমিশ, গরম স্টক, গুঁড়ো গরম মশলা ও নুন দিন। কুকার বন্ধ করুন।

পুরো স্টিম হবার পর ৪ মিনিট রাখুন কম আঁচে। কুকার নিজে থেকে ঠান্ডা হলে খুলবেন।

ওপরে সব ফল দিয়ে সাজিয়ে দেবেন; সঙ্গে একটি রায়তা থাকলে আর কিছু লাগবে না।

চিকেন দিয়েও করা যাবে একই ভাবে। সেদ্ধ বাসমতি না পেলে আলো বাসমতি দিয়েই করবেন। তবে আখনিতে দুধ দেবেন ৭৫০ মিলি ও কুকারে ৩ মিনিট রাখবেন।

রোটি সালন

এটি বেঁচে থাকা রুটির টুকরো দিয়েও রাঁধা যাবে। তবে যেহেতু এক পদের রান্না, একটু সময় খরচ করে টাটকা রুটি বানিয়ে রাঁধলে আরও সুস্বাদু হবে, বলাই বাহুল্য।

উপকরণ: ১৫০ গ্রাম ময়দা বা আটা, ১ টেবিল চামচ ঘি, ১/২ চা চামচ হলুদ, ১/২ চা চামচ লংকা, ১/২ চা চামচ নুন।

সালন: ২১/২ কাপ সবজির টুকরো, ১/২ কেজি কিমা, ১ চা চামচ আদাবাটা, ১ চা চামচ রসুনবাটা, ১ চা চামচ কাঁচালংকাবাটা, রুচিমতো নুন, ২টি টম্যাটো কোরানো, ৬ কাপ স্টক, ২টি বড় পেঁয়াজের বিরিস্তা।

ফোড়ন: ২ টেবিল চামচ সাদা তেল, ৪টি শুকনো লংকা, ১ টেবিল চামচ মিহিকুচি আদা।

প্রণালী: রোটি— ময়দা বা আটাতে সব উপকরণ দিয়ে রুটির মতো মাখুন। এর থেকে ২টি বড় পাতলা রুটির মতো বেলে নিন। টুকরো করে কাটুন রুটি দুটি। তবে কাঁচাই থাকবে, সেঁকতে হবে না।

সালন: সবজি বলতে নিজের পছন্দসই যে কোনও সবজি, যেমন ছোট পেঁয়াজ, গাজর, ফুলকপি, মটরশুঁটি, বিন, ব্রকোলি, ছোট আলু।

কুকারে কিমা, সবজি, আদা-রসুন-কাঁচালংকাবাটা, নুন, টম্যাটো ও স্টক দিয়ে ১০ মিনিট সেদ্ধ করে নামান। কুকার খুলে রুটির টুকরো দিয়ে আরও ১৫ মিনিট ফোটান। খানিকটা গাঢ় হবে ঝোল ইতিমধ্যে।

ফোড়ন: তেলে সবকিছু ফোড়ন দিয়ে মাংসে ঢালুন। সেইসঙ্গে বিরিস্তা ছড়িয়ে আরও ৫ মিনিট ফোটান। গরম গরম খেতে দিন। সঙ্গে লেবুর রস, ধনেপাতাকুচি, পেঁয়াজকুচি, কাঁচালংকাকুচি দেবেন।

চাইনিজ ফেনাভাত

উপকরণ: ২৫০ গ্রাম গোবিন্দভোগ চাল, ১ চা চামচ সাদা তেল, ১টি স্টার অ্যানিস টুকরো করা, ১/২ কাপ ছোট টুকরো ব্রকোলি, ১/৩ কাপ ছাড়ানো মটরশুঁটি, ১/২ কাপ বেবি কর্ন কুচোনো, ১/২ কাপ ফুলকপি ছোট টুকরো করা, ১/২ কাপ সেদ্ধ চিকেন কুচোনো, ১/২ কাপ ছাড়ানো কুচো চিংড়ি, ১ টেবিল চামচ গাঢ় সয়া সস, ১ টেবিল চামচ পাতলা সয়াসস, ১ টিপ অ্যাজিনোমোটো (না দিলেও চলে), নুন ও মরিচ আন্দাজমতো, ১ টেবিল চামচ ভিনিগার, ৬০০ মিলি চিকেন স্টক।

প্রণালী: সব সবজি একসঙ্গে না দিলেও হবে। যে ক'টি ইচ্ছে ব্যবহার করুন। চাল ধুয়ে জল ঝরিয়ে নিন। নতুন চালে বেশি ভাল হয়।

কুকারে তেলটুকু গরম করে স্টার অ্যানিস ফোড়ন দিন। চাল দিয়ে ভাজুন ১ মিনিট। এবার বাকি সব উপকরণ দিয়ে ৬-৭ মিনিট সেদ্ধ করুন।

কুকার নিজে থেকে ঠান্ডা হলে একটু ঘেঁটে দিন। সঙ্গে কাঁচালংকাকুচি ভিনিগারে ভিজিয়ে দেবেন।

স্টার অ্যানিসকে হিন্দিতে বলে চক্রিফুল, নিউ মার্কেটে স্টার মশলা বলে বিক্রি হয়।

ফার্মহাউস পাই

উপকরণ: কভারিং— ২ কাপ সেদ্ধ আলু মসৃণভাবে চটকানো, নুন ও মরিচ আন্দাজমতো, ১/২ চা চামচ মিক্সড্ হার্বস, ৩/৪ কাপ দুধ, ১টি ডিম, ২ টেবিল চামচ মাখন।

ফিলিং: ২ টেবিল চামচ অলিভ অয়েল, ২ কাপ দুধ, ২ $^{১}/_{২}$ টেবিল চামচ কর্নফ্লাওয়ার, ২ কাপ কাঁটা ছাড়ানো সেদ্ধ মাছ, ১ মুঠো পার্সলি বা ধনেপাতাকুচি, ৩ টেবিল চামচ টাটকা পাঁউরুটির গুঁড়ো, নুন ও মরিচ আন্দাজমতো, $^{১}/_{২}$ চা চামচ মিক্সড হার্বস।

মিহি করে কুচিয়ে নিন: ১টি বড় পেঁয়াজ, ৩টি কাঁচালংকা, ৩ কোয়া রসুন, ৩ ডাঁটা সেলারি।

প্রণালী: আলু, নুন, মরিচ, মিক্সড্ হার্বস, দুধ ও ডিম দিয়ে সব একসঙ্গে মেখে নিন; মসৃণ মাখা চাই।

ফিলিং: কড়ায় অলিভ অয়েল গরম করে মিহি কুচোনো উপকরণ ভাজুন। নরম হলে দুধে কর্নফ্লাওয়ার মিশিয়ে ঢালুন। নাড়তে থাকুন। খানিকটা গাঢ় হলে নুন, মরিচ, মাছ ও ধনেপাতা দিন। মাঝে মাঝে নেড়ে খানিকক্ষণ রান্না করুন। গাঢ় থকথকে হবে।

একটি মাখন মাখানো বেকিং ট্রেতে মাছের মিশ্রণ ঢালুন। ওপরে আলু দিয়ে সমানভাবে ছড়িয়ে দিন। কাঁটা দিয়ে ওপরে একটু দাগ করে দিন যাতে দেখতে ভাল লাগে। শেষে পাঁউরুটির গুঁড়ো ও মাখন ছড়িয়ে দিন।

বেক করুন ১৯০° সে. উত্তাপের আভেনে; সময় লাগবে ৩০ মিনিট, একটু সোনালি রং ধরবে। শেষে কোরানো চিজও ছড়ানো যেতে পারে।

পাস্তা ও ডিমের বেক

উপকরণ: ১ কেজি নানারকম সবজি, ২২৫ গ্রাম বড় মশলা দেওয়া সসেজ, ২২৫ গ্রাম পেঁপে বা অনুরূপ পাস্তা, ৪ টেবিল চামচ অলিভ অয়েল, ১টি বড়

পেঁয়াজ পাতলা স্লাইস করা, $^{১}/_{২}$ চা চামচ রসুন কুচি, ৩টি বড় পাকা টম্যাটো, কোরানো, ১ চা চামচ শুকনো বেসিল, ৬টি কালো অলিভ টুকরো করা (না দিলেও চলে), নুন ও মরিচ রুচিমতো, ৪টি ডিম।

প্রণালী: সবজি বলতে মটরশুঁটি, ব্রকোলি, ফুলকপি, বিন ও গাজর। ছোট টুকরোয় কেটে নেবেন। সসেজও মোটা মোটা স্লাইস করে নিন। পাস্তা একটু শক্ত করে সেদ্ধ করে নিতে হবে। সেদ্ধ করার সময় জলে নুন ও ১ চা চামচ তেল দিতে ভুলবেন না।

স্কিলেটে অলিভ অয়েল গরম করে পেঁয়াজ, রসুন ও সসেজ দিয়ে ভাজুন। সসেজ প্রথমে সেদ্ধ করেও নিতে পারেন, তারপর টুকরো করবেন। ২ মিনিট পর সব সবজি দিয়ে ৫ মিনিট নাড়ুন। এবার টম্যাটো, বেসিল, অলিভ, নুন ও মরিচ দিন। ২ মিনিট হতে দিন। শেষে সেদ্ধ পাস্তা ভাল করে মিশিয়ে নামান।

একটি ২ ইঞ্চি গভীর বেকিং পাত্র তেল মাখিয়ে নিন। পাস্তার মিশ্রণ ঢেলে সমান করুন। মধ্যে ৪টি গর্ত করে প্রতি গর্তে একটি করে ডিম ভাঙুন। সাবধানে যাতে কুসুম ভেঙে না যায়। ফয়েল দিয়ে ঢেকে বেক করুন।

২০০° সে. তাপমাত্রা হবে; সময় লাগবে ২০ মিনিট, ডিম পোচ হবার মতো সেট হওয়া চাই। ওপরে কোরানো চিজ ছড়াতে পারেন।

হরিরা

কতকটা আমাদের হালিমের মতো। মরক্কোতে ঈদের সময় বাড়ি বাড়ি রান্না হয়। পেট ভরা সুপ বলা যায়।

উপকরণ: $^{১}/_{২}$ কাপ কাবুলি ছোলা, ২৫০ গ্রাম হাড়ছাড়া মাংস, ছোট

টুকরোয় কাটা $^{১}/_{২}$ চা চামচ হলুদ, $^{১}/_{২}$ চা চামচ দারচিনির গুঁড়ো, ২ টেবিল চামচ মাখন, ৪ টেবিল চামচ ধনেপাতাকুচি, ১টি পেঁয়াজ কুচোনো, ৪০০ গ্রাম পাকা লাল টম্যাটো কোরানো, ৫০ গ্রাম মুসুর ডাল, নুন ও মরিচ আন্দাজমতো, ৩ কাপ চিকেন স্টক, ৬টি ছোট আস্ত পেঁয়াজ, $^{১}/_{২}$ কাপ ছোট টুকরো নুডলস।

প্রণালী: কাবুলি ছোলা একরাত ভিজিয়ে রাখতে হবে।

কুকারে মাংস, হলুদ, দারচিনি, মাখন, ধনেপাতা ও পেঁয়াজকুচি একসঙ্গে বসান। ঢাকা দিয়ে ৫ মিনিট হতে দিন। টম্যাটো, ডাল, ভেজা কাবুলি ছোলা, নুন, মরিচ ও স্টক বা জল ও আস্ত পেঁয়াজ দিয়ে ২০ মিনিট কুকারে সেদ্ধ করুন।

কুকারে খুলে নুডলস্ দিয়ে আরও ৫ মিনিট সেদ্ধ হবে। লেবুর রস, ধনেপাতা, সামান্য দারচিনির গুঁড়ো, চিলি ফ্লেক্স ওপরে ছড়িয়ে খেতে দিন।

এতে ছোলার সঙ্গে সামান্য দালিয়াও দেওয়া যেতে পারে। একটু মশলাদার রাঁধতে চাইলে আলাদাভাবে ঘিয়ে পেঁয়াজকুচি, রসুন, কাঁচালংকাকুচি, জিরে ও তেজপাতা ফোড়ন দিয়ে ভালভাবে ভেজে শেষে ঢেলে দেবেন।

ফুল মিল পাস্তা স্যালাড

ভরপেট স্যালাড। একটি স্যালাড খেলেই আর কিছু খাবার দরকার হবে না। গরমকালের পক্ষে আদর্শ। আরও সুবিধে এই যে অনেক প্রস্তুতিই আগে করে রেখে দেওয়া যাবে। যেমন, পাস্তা সেদ্ধ করে সামান্য তেল মাখিয়ে

ফ্রিজে রেখে দিন। সব তরকারি শক্ত করে সেদ্ধ করে রেখে দিন। ড্রেসিং তৈরি করে রাখুন। এ ছাড়া সবজি ও ফল নিজের পছন্দমতো রদবদল করতেই পারেন মরশুম অনুযায়ী।

উপকরণ: ১০০ গ্রাম যে কোনও ছোট আকারের পাস্তা, ১ চা চামচ লেবুর রস, ২ কাপ সেদ্ধ সবজি ছোট টুকরোয় কাটা (বিন গাজর, ব্রকোলি, ফুলকপি, বেবি কর্ন, মটরশুঁটি, ক্যাপসিকাম, শশা, টম্যাটো), ১ কাপ সেদ্ধ চিকেন কুচোনো, ২ টি সেদ্ধ ডিম, টুকরো করা, ২ টেবিল চামচ পার্সলিকুচি বা ধনেপাতা কুচি, ২ টেবিল চামচ কাজুবাদামের টুকরো, ১৫টি কালো আঙুর, ১৫টি সবুজ আঙুর, ১/৩ কাপ লাল বেদানার দানা, নুন ও মরিচ আন্দাজমতো।

ড্রেসিং: ১/২ কাপ মেয়োনেজ, ১/৪ কাপ টম্যাটো কেচাপ, ১ চা চামচ চিলি ফ্লেকস্, ২ টেবিল চামচ অলিভ অয়েল।

'ফারফালে' বলে প্রজাপতির মতো দেখতে যে ছোট পাস্তা পাওয়া যায় সেটি ব্যবহার করলে দেখাবে সবচেয়ে সুন্দর। সবজির মধ্যে সব কটিই যে নিতে হবে এমন কোনও কথা নেই। পাস্তা একটু শক্ত করে সেদ্ধ করে জল ঝরিয়ে রাখুন। ১ চামচ তেল মাখিয়ে নেবেন।

প্রণালী: ড্রেসিংয়ের উপকরণ সব একসঙ্গে মিশিয়ে নিন। অলিভ অয়েল ব্যবহার করতে পারলে খুবই ভাল হয়।

ফল ছাড়া বাকি সব উপকরণ একসঙ্গে মেশান একটি স্যালাড বোলে। ড্রেসিং মেশান। চেখে নিয়ে প্রয়োজনমতো নুন ও মরিচ মেশান। ওপরে ফল সাজিয়ে ঠান্ডা করুন।

মেয়োনেজ ও কেচাপ না দিয়ে শুধু লেবুর রস, নুন ও মরিচ দিলেও হবে। তবে অলিভ অয়েল দিতেই হবে।

ফল আরও বেশি দেওয়া যায়, যেমন, কমলালেবু, আনারস, কিউই ফল, আম ইত্যাদি।

মোট কথা, এই রেসিপিটি নেহাতই একটি গাইড লাইন, বাকি আপনার নিজস্ব অভিরুচি।

মাছ

মাছের সহজ পোলাউ

অনেকেই বলেন পোলাউ কখনওই কুকারে বানানো যায় না। তা কিন্তু নয়। ঠিকমতো জলের মাপ ও সময়ের আন্দাজ থাকলে একেবারে ঝরঝরে পোলাউ হবে।

উপকরণ: $^{১}/_{২}$ কেজি বাসমতি চাল, $^{১}/_{২}$ কেজি ভেটকি মাছের টুকরো, ১$^{১}/_{২}$ কাপ ছাড়ানো কুচোনো চিংড়ি, ১ চা চামচ হলুদ, রুচিমতো নুন, ভাজার জন্য তেল, ১ চা চামচ কাশ্মীরি লংকা, $^{১}/_{২}$ চা চামচ গুঁড়ো গরম মশলা, ২০টি কাজুবাদাম, ২ টুকরো করা, ২৫টি কিশমিশ, ১৫টি কাগজি বাদাম কুচোনো, ৪ টেবিল চামচ ঘি, ১ টেবিল চামচ কোরানো আদা, ২ টেবিল চামচ টক দই, ১ চা চামচ চিনি, ৯০০ মিলি জল বা স্টক।

প্রণালী: চাল বেছে ভেজা কাপড়ে ২-৩ বার মুছে রাখুন। জল দিয়ে ধোবেন না কখনওই। মাছ ও চিংড়িমাছে নুন ও হলুদ মাখিয়ে সাঁতলে তুলুন।

চাল, হলুদ, কাশ্মীরি লংকা, গুঁড়ো গরম মশলা, কাজু, কুচোনো বাদাম, কিশমিশ, নুন. চিনি, আদা ও ফেটানো টক দই একসঙ্গে মেখে রাখুন।

কুকারে ঘি গরম করে মশলামাখা চাল দিয়ে ভাল করে কষুন। চাল

স্বচ্ছমতো হলে গরম স্টক বা জল দিয়ে কুকার বন্ধ করুন। কুকারে প্রায় পুরো প্রেশার এলে, সিটি হতে দেবেন না, আঁচ কমিয়ে ৪ মিনিট রাখুন।

কুকার একটু ঠান্ডা হলে ঢাকা খুলে আধকাপ জল, মাছ ও চিংড়ি মাছ দিয়ে আবার বন্ধ করুন। ১ মিনিট আঁচের ওপর রেখে নামান। কুকার নিজে থেকে ঠান্ডা হলে নামাবেন।

ভাতের সঙ্গে ১ কাপ ছাড়ানো মটরশুটিও দেওয়া যাবে।

দুধ মাছ

গাঢ় দুধ মানে, ২ কাপ দুধ ফুটিয়ে ১ কাপ করে নেওয়া।

উপকরণ: ৪টি বড় টুকরো পমফ্রেট, সুরমাই, ভেটকি বা যে কোনও বড় মাছ, ১ টি মাঝারি পেঁয়াজ কুচোনো, ১ ছড়া কারিপাতা, ১ চা চামচ কাশ্মীরি লংকাগুঁড়ো, ১ চা চামচ ধনেগুঁড়ো, ১ চা চামচ জিরে গুঁড়ো, ১ চা চামচ মরিচগুঁড়ো, $^{১}/_{২}$ চা চামচ হলুদ, ১ টেবিল চামচ সাদা তেল, ২টি টম্যাটো কোরানো, ১ কাপ গাঢ় দুধ, রুচিমতো নুন, ১ চা চামচ চিনি।

প্রণালী: মাছে নুন ও হলুদ মাখিয়ে হালকা করে সাঁতলে নেবেন। এই তেলটুকু বাড়তি।

কড়ায় তেল গরম করে পেঁয়াজ, কারিপাতা, লংকা, ধনে, জিরে, মরিচ, নুন ও চিনি দিয়ে মিনিট ৪-৫ নাড়ুন। প্রয়োজনে জলের ছিটে দেবেন।

এবার টম্যাটো দিয়ে আরও ৫ মিনিট ভাজুন। দুধ দিন; ফুটে উঠলে আঁচ কমিয়ে একটু হতে দিন। এবার মাছ দিয়ে ফোটান। মাছ সেদ্ধ হলে নামান।

ইচ্ছে হলে ধনেপাতাকুচি ও কাজুবাদাম দিয়ে সাজানো যেতে পারে।

মাছের ঝটপট দম

বেশ অভিনব রান্না। খেতে ভারী সুস্বাদু।

উপকরণ: ৬টি আস্ত ছোট পেঁয়াজ, ৬টি আস্ত ছোট আলু, ৬টি আস্ত ছোট টম্যাটো, ৬ টুকরো ভেটকি মাছ, ১ টেবিল চামচ ভরা ভরা মাখন, রুচিমতো নুন, ১ টেবিল চামচ ভরা ভরা মরিচগুঁড়ো।

প্রণালী: কুকারে পেঁয়াজ, আলু, টম্যাটো ও মাছ পরপর সাজান। মধ্যে একটু জায়গা করে নিয়ে মাখন, নুন ও মরিচ দিন।

কুকারে ৮ মিনিট সেদ্ধ করুন, জল দিতে হবে না। গাঢ় ঝোল থাকবে।

মাছের ঝোল

নিজের জন্য এরকম কিছু ঝামেলাবিহীন, সুস্বাদু রান্না জানতেই হবে। যে কোনও মাছেই রাঁধা যাবে— ছোট বা বড় মাছ যাই হোক না কেন।

উপকরণ: ৬ টুকরো মাছ, রুচিমতো নুন, ৩/৪ চা চামচ হলুদ, সরষের তেল প্রয়োজনমতো, ১ চা চামচ পাঁচফোড়ন, ১ টিপ লংকাগুঁড়ো, ৪টি কাঁচালংকা, ১ চা চামচ আদার রস, একমুঠো ধনেপাতা কুচি।

প্রণালী: মাছে নুন হলুদ মাখিয়ে হালকা করে সাঁতলে তুলুন। আমি অবশ্য কাঁচা মাছেই রাঁধি।

কড়ায় ২ টেবিল চামচ তেল গরম করে পাঁচফোড়ন দিন। ফোড়ন চমকে উঠলে হলুদ ও লংকা একটু জলে গুলে দিন জল শুকোলে ১ কাপ জল, নুন ও চেরা কাঁচালংকা দিয়ে ২ মিনিট ফোটান।

এবার মাছ দিন। একটু ফুটতে দিন। মাছ সেদ্ধ হয়ে ঝোল একটু কমলে আদার রস দিয়ে এক মিনিট রেখে ধনেপাতাকুচি ছড়িয়ে নামান।

গরম ভাতের সঙ্গে অতি উপাদেয়। একটু লেবুর রস মেখে নিলে তো কথাই নেই।

সবুজ ইলিশ

নিজের জন্য ইলিশমাছ রাঁধা খুব সহজ, কারণ ভারী চটপট হয়ে যায়।

উপকরণ: ১টি ছোট ক্যাপসিকাম, ১ $^{১}/_{২}$ টেবিল চামচ সরষের তেল, ৬ টুকরো ইলিশমাছ, দাগা ও পেটি একসঙ্গে, ২ টেবিল চামচ ধনেপাতাবাটা, ১ চা চামচ পুদিনাপাতাবাটা, ১ চা চামচ কাঁচালংকাবাটা (না দিলেও চলে), $^{১}/_{২}$ চা চামচ কোরানো জায়ফল, রুচিমতো নুন, ১ টিপ চিনি, সেদ্ধ মটরশুঁটি, সাজাবার জন্য।

প্রণালী: আস্ত ক্যাপসিকাম সামান্য ভাপিয়ে নিয়ে, বিচি ফেলে বেটে নিতে হবে। অর্ধেক তেল ও বাকি সব উপকরণ মাছে মাখান।

স্টিমারে ফয়েল বা কলাপাতা বিছিয়ে ওপরে মাছ সাজান। স্টিম করুন। বাকি তেল ছড়িয়ে দিন। ১৫ মিনিট লাগবে।

বার করে গরম ভাতের সঙ্গে খেতে দিন। পাশে সেদ্ধ মটরশুঁটি ছড়িয়ে দিন।

মাছ ভাতে

সাধারণত আমরা কাঁচা মাছ খেতে চাই না। কিন্তু এই পদটি করে দেখুন। ভাবতেও পারবেন না স্রেফ সেদ্ধ মাছ এত ভাল খেতে হতে পারে।

উপকরণ: ৪ টুকরো রুই বা কাতলা মাছ অথবা ১ কাপ কুচো চিংড়ি, সেদ্ধ করা, ১টি মাঝারি পেঁয়াজ মিহি কুচোনো, ২টি কাঁচালংকা কুচোনো, একমুঠো ধনেপাতা কুচি, রুচিমতো নুন, ১ পলা কাঁচা সরষের তেল।

প্রণালী: মাছ সেদ্ধ করে কাঁটা ছাড়িয়ে নিতে হবে। ছাল ফেলবেন না। আমি দেখেছি ভাতের মাড়ে মাছ সেদ্ধ করলে স্বাদ আরও ভাল হয়।

মাছের সঙ্গে বাকি সব উপকরণ হালকা হাতে চটকে নিলেই হল।

ভাতের সঙ্গে অতি উপাদেয়। চিংড়িমাছ হলে সেদ্ধ করার পর ছোট টুকরো করে নেবেন।

কাঁচা মাছ, যেহেতু না ভেজে শুধু সেদ্ধ করে খাওয়া হবে, তাই এই রান্নাটির জন্য একেবারে টাটকা মাছ খুব জরুরি।

মাছ ছড়ানো

কই মাছে সবচেয়ে ভাল হলেও যে কোনও মাছেই রাঁধা যাবে। যেমন, তেলাপিয়া, পার্শে, ট্যাংরা, ছোট ভেটকি বা বড় মাছের টুকরো।

উপকরণ: ৪টি বড় কই মাছ, ১ চা চামচ হলুদ, রুচিমতো নুন, ১ টেবিল চামচ আদাবাটা, ১/২ কাপ সরষের তেল, ২টি বড় পেঁয়াজ মিহি কুচোনো, ২টি বড় টম্যাটো মিহি কুচোনো, ১ কাপ ধনেপাতাকুচি, ২ টেবিল চামচ কাঁচালংকাকুচি।

প্রণালী: এই রান্নাটির জন্য নন-স্টিক ফ্রাইং প্যান দরকার। মাছ ধুয়ে মুছে হলুদ, নুন ও আদাবাটা মাখিয়ে রাখুন।

ফ্রাইংপ্যানে অর্ধেক তেল গরম করে অর্ধেক পেঁয়াজ ছড়িয়ে দিন। নাড়বেন না। তারপর পরপর অর্ধেক টম্যাটো, ধনেপাতা ও কাঁচালংকাকুচি ছড়ান। ফ্রাইংপ্যানের তলা যেন ঢেকে যায়।

ওপরে মাছগুলি পাশাপাশি সাজান। আবার পেঁয়াজ, টম্যাটো, ধনেপাতা ও কাঁচালংকা একইভাবে ছড়িয়ে দিন মাছের ওপর। শেষে সামান্য নুন ও বাকি কাঁচা তেল ছড়িয়ে দিন। জল দেবেন না।

ঢাকা দিয়ে ৩ মিনিট বেশি আঁচে হতে দিন। আঁচ কমিয়ে ৫ মিনিট আরও রাখুন। ঢাকা খুলে মাছ একবার উলটে দিয়ে আবার ঢেকে ৪ মিনিট রাখুন। তেলকাটা ঝোল হবে। ভাতের সঙ্গে অতি উপাদেয়। ওপরে আরও কাঁচালংকা দিয়ে খেতে দিন।

ফিশ পাই

কেনা মেয়োনেজও চলবে, সাদা সসের পদ্ধতি বেসিক রেসিপির মধ্যেই আছে।

উপকরণ: ৬টি মাছের মোটা ফিলে, ২টি বড় আলু সেদ্ধ, $\frac{১}{২}$ কাপ মেয়োনেজ, ১টি ডিম, ৪ টেবিল চামচ সাদা সস, ২ কিউব চিজ কোরানো।

প্রণালী: আলু সেদ্ধ খুব মসৃণ করে মেখে মেয়োনেজ মিশিয়ে আবার ভাল করে মাখুন।

বেকিং ডিশে ভাল করে মাখন মাখিয়ে নীচে আলু সেদ্ধ সমান করে

১১৪

বিছিয়ে দিন। তার ওপর মাছ সাজান। মাছের ওপর সাদা সস ছড়ান। শেষে কোরানো চিজ দিয়ে ঢেকে দিন। সবার ওপরে ফেটানো ডিম ঢেলে দিন।

বেক করুন ২০০ সে. উত্তাপের আভেনে ১৫-২০ মিনিট। কনভেকশন মাইক্রোওয়েভ আভেনেও বেক করা যাবে।

ফিশ ইন ট্যাঙ্গি সস

পমফ্রেট সব সময় পাওয়া যায় না ঠিকমতো। বড় তেলাপিয়া দিয়েও করে দেখেছি— ভালই হয়।

উপকরণ: ২টি আস্ত পমফ্রেট, ২ টেবিল চামচ কর্নফ্লাওয়ার, রুচিমতো নুন, ১/৪ চা চামচ লংকাগুঁড়ো, ১ টেবিল চামচ লেবুর রস, ভাজবার জন্য সাদা তেল।

সস: ১ কাপ আনারসকুচি, ১/২ কাপ টম্যাটো কেচাপ, ১টি ছোট পেঁয়াজ কোরানো, ২টি টম্যাটো কোরানো, রুচিমতো নুন, ১ চা চামচ চিনি, ১ চা চামচ ভিনিগার, ১ চা চামচ সাদা তেল, ১/২ চা চামচ রসুনকুচি।

প্রণালী: পমফ্রেট মাছ আস্ত থাকবে। পরিষ্কার করে কেটে ধুয়ে মুছে নিন। দুদিকে কটি চির দিয়ে নেবেন। মাছে প্রথমে নুন, লংকা ও লেবুর রস মাখান। তারপর হালকা করে কর্নফ্লাওয়ার ছিটিয়ে দিন।

নন-স্টিক ফ্রাইংপ্যানে সোনালি করে ভেজে তুলন, সঙ্গে সস দিয়ে খেতে দিন।

সসের প্রণালী: টিনের আনারস হলে ভাল হয়। আনারস, কেচাপ, পেঁয়াজ, টম্যাটো, নুন, চিনি ও ভিনিগার একসঙ্গে ব্লেন্ড করে নিন।

কড়াতে তেল দিয়ে রসুনকুচি দিন, রসুনের কাঁচা গন্ধ চলে গেলে আনারসের মিশ্রণ দিয়ে ফোটান, ফুটে উঠলে আঁচ কমিয়ে ৫ মিনিট হতে দিন, নাড়বেন মাঝে মাঝে। একটু গাঢ় হলে নামান।

মার্মালেড পমফ্রেট

বাজারে বললেই পমফ্রেট আস্ত রেখে পেট পরিষ্কার করে দেবে। বাড়িতে এনে ধুয়ে নিলেই হল।

উপকরণ: ৪টি মাঝারি আকারের পমফ্রেট মাছ, ১/৩ কাপ মার্মালেড, ৫০ গ্রাম মাখন, নুন ও মরিচ রুচিমতো, ৪ টেবিল চামচ সুজি, ২ টেবিল চামচ কুচোনো ধনেপাতা।

মাছের দোকানে বলবেন, পেটের দিকটি একটু বড় করে চিরে দিতে, মাছ ধুয়ে মুছে দু'দিকে দুটি করে চির দিয়ে নেবেন।

প্রণালী: প্রতিটি মাছের পেটে সমান ভাগে মার্মালেড ও ধনেপাতা ভরুন। পেটের খোলা দিকটি টুথপিক দিয়ে আটকে দিন। মাছের দু'দিকে লেবুর রস, নুন ও মরিচ মাখিয়ে ৩০ মিনিট রাখুন।

এরপর মাছের দু'পিঠে হালকা করে সুজি মাখান। ফ্রাইংপ্যানে মাখন (বা সাদা তেল) গরম করে সোনালি করে ভেজে তুলুন।

ফ্রায়েড রাইস বা হালকা ঘি-ভাতের সঙ্গে অতি উপাদেয়।

মাংস

আখ্‌নি পোলাও

নিছক একলা থাকলেও মাঝেমধ্যে লোকজন খাওয়াতেই হয়। আখনি পোলাওয়ের মতো সহজ আর সুস্বাদু রান্না সহজে চোখে পড়ে না। চিকেন দিয়েও রাঁধা যাবে। মাংস আগের দিন সেদ্ধ করে স্টক আলাদা করে রেখে দিলে আরও সহজে কাজ হবে।

উপকরণ: ১ কেজি মাংস, $^{১}/_{২}$ কেজি বাসমতি চাল, ৬টি বড় এলাচ, ৬টি তেজপাতা, ১টি বড় পেঁয়াজ, আস্ত গরম মশলা, প্রতিটি ৪টি করে, ২.৫ সেমি টুকরো আদা, $^{১}/_{৪}$ কাপ টক দই, $^{১}/_{২}$ চা চামচ লংকাগুঁড়ো (বাদ দেওয়া চলে), রুচিমতো তেল, ২ টেবিল চামচ সাদা তেল।

প্রণালী: সেদ্ধ বাসমতি চাল হলে রান্না করতে সুবিধে হয়। নতুবা সাধারণ বাসমতি চালেও হবে। চাল ভেজা কাপড়ে ভাল করে মুছে নিন ২-৩ বার।

মাংসে চালের দ্বিগুণ জল চাই। ১ লিটার জল, ৩টি বড় এলাচ, ৩টি তেজপাতা, অর্ধেক গরম মশলা, ৪ টুকরো করা পেঁয়াজ, আদার টুকরো ও ১ চা চামচ নুন দিয়ে কুকারে ৭-৮ মিনিট সেদ্ধ করুন। জল ছেঁকে স্টক রাখুন। মশলা ও আদাকুচি ফেলে দিন।

কুকারে তেল গরম করে বাকি এলাচ, তেজপাতা ও গরম মশলা ফোড়ন দিন। চাল দিয়ে বেশ স্বচ্ছমতো ভাজা হলে টকদই, লংকা ও মাংস দিয়ে ২ মিনিট নাড়ুন। এবার গরম স্টক ও নুন দিয়ে কুকার বন্ধ করুন। প্রেসার পুরো হলে গ্যাস কমিয়ে ৪ মিনিট রেখে গ্যাস বন্ধ করুন, তবে কুকার খুলবেন ১ ঘণ্টা পর।

রায়তার সঙ্গে খেতে দিন।

ইয়াখ্‌নি

কাশ্মীরি পণ্ডিতদের বিখ্যাত রান্না। খুব সহজ পদ্ধতি। নিজের জন্য করেই দেখুন না।

উপকরণ: ১/২ কেজি মাংস, ১ টিপ হিং, ৫ টেবিল চামচ সরষের তেল বা সাদা তেল, ৩টি বড় এলাচ, ৪টি ছোট এলাচ, ৫টি লবঙ্গ, ২টি তেজপাতা, ১ চা চামচ জিরে, রুচিমতো নুন, টক দই।

প্রণালী: মাংসে ২ কাপ জল দিয়ে কুকারে ১৫ মিনিট সেদ্ধ করে নিতে হবে। হিং ১/৪ কাপ জলে গুলে রাখুন।

কড়ায় তেল ভাল করে গরম করে হিং, মাংস, নুন ও স্টক দিন, সেইসঙ্গে থেঁতো করা গরম মশলা। ৫ মিনিট ফোটান। আঁচ থেকে নামান। টক দই ফেটিয়ে আস্তে আস্তে মাংসে মেশান ও সমানে নাড়তে থাকুন। সব বেশ ভাল করে মিশে গেলে আবার আঁচে বসান। সমানে নাড়তে হবে, নয়তো কেটে যাবে।

মাঝারি আঁচে ১০-১৫ মিনিট ফুটতে দিন। একটু গাঢ় ঝোল হবে। সাদাটে দেখতে।

ভাতের সঙ্গে খুবই ভাল লাগে। রুটি-পরোটার সঙ্গেও চলবে।

ভুটানি মাংস

পেঁয়াজ ভাজতে বেশ সময় লাগে। তবে সুখের কথা এই যে মুচমুচে সোনালি করে ভাজা পেঁয়াজ ফ্রিজে বেশ কিছুদিন ভাল থাকে।

উপকরণ: ১০০ গ্রাম পেঁয়াজ, ১০০ মিলি সরষের তেল, ১ কেজি মাংস, ১ টেবিল চামচ আদাবাটা, ১ টেবিল চামচ রসুনবাটা, ১ টেবিল চামচ জিরে গুঁড়ো, $^{১}/_{২}$ টেবিল চামচ ধনে গুঁড়ো, ১ টেবিল চামচ কাশ্মীরি লংকাগুঁড়ো, ১ চা চামচ হলুদ, $^{১}/_{২}$ কাপ ধনেপাতা কুচি, ২টি কুচোনো লাল কাঁচালংকা।

প্রণালী: পেঁয়াজ পাতলা স্লাইস করে কেটে লালচে করে ভেজে তুলুন। এই তেলটুকু বাড়তি।

তেল গরম করে মাংস কষুন। তেজ আঁচে নেড়েচেড়ে ভাজবেন। বেশ ভাল ভাজা হলে, ৫ মিনিট মতো, আদা-রসুনবাটা দিয়ে আরও ৩-৪ মিনিট নাড়াচাড়া করুন। এবার সব গুঁড়ো মশলা জলে গুলে ঢালুন। ভাল করে নাড়তে হবে।

বেশ ভাল কষা হলে ১$^{১}/_{২}$ কাপ জল বা স্টক দেবেন। কুকারে ১২ মিনিট সেদ্ধ করুন। এবার খানিকটা জল শুকিয়ে নিন। ইচ্ছে হলে পুরো জল শুকিয়ে ভাজা ভাজাও করে নিতে পারেন।

ওপরে ভাজা পেঁয়াজ, ধনেপাতা ও কাঁচালংকা কুচি ছড়িয়ে খেতে দেবেন।

ডাব্বা গোশত্

টম্যাটো হয় কুরিয়ে নেবেন, নয়তো ফুটন্ত জলে রেখে খোলা ছাড়িয়ে কুচিয়ে নিতে হবে।

উপকরণ: ১/২ কেজি কিমা, ৪ টেবিল চামচ সাদা তেল, ১/২ চা চামচ হলুদ, ২ চা চামচ ধনে পাউডার, ১/৪ চা চামচ গুঁড়ো গরম মশলা, ১ চা চামচ জিরে গুঁড়ো, ২৫০ গ্রাম টম্যাটো, ১ চা চামচ আদাবাটা, ১ চা চামচ রসুনবাটা, ১/২ কাপ ধনেপাতা কুচি, ১/২ চা চামচ লংকাগুঁড়ো, রুচিমতো নুন, ৬টি ডিম, আধ কাপ সেদ্ধ মটরশুঁটি, ২টি কাঁচালংকা কুচোনো, ১টি বড় লাল টম্যাটো, চাকাচাকা করে কাটা।

প্রণালী: কুকারে তেল গরম করুন। কিমা, সব মশলা, টম্যাটো, আদা-রসুনবাটা, ধনেপাতা, কাঁচালংকা ও নুন দিয়ে ২ মিনিট নেড়ে ১/২ কাপ জল দিয়ে ৭ মিনিট সেদ্ধ করুন। বেশি জল থাকলে শুকিয়ে নিন পুরোপুরি। ঠান্ডা হলে ৩টি ডিম ফেটিয়ে মেশান।

বেকিং পাত্রে ভালভাবে তেল মাখান। কিমার মিশ্রণ সমানভাবে ছড়ান। ওপরে সেদ্ধ মটরশুঁটি ও টম্যাটোর চাকা সাজান। বাকি ৩টি ডিম ফেটিয়ে ওপরে ঢালুন।

আভেন আগে থেকে ২০০° সে. উত্তাপে গরম করে রাখতে হবে। ১৫-২০ মিনিট বেক করুন।

গরম বা ঠান্ডা দুভাবেই খাওয়া চলবে।

সরষে মাংস

সরষে বাটার ঝঞ্ঝাট করার কোনও দরকার নেই। আজকাল খুব ভাল সরষে গুঁড়ো কিনতে পাওয়া যায়। জলে গুলে ব্যবহার করুন।

উপকরণ: ৭৫০ গ্রাম মাংস, ১৫০ মিলি টক দই, ২ টেবিল চামচ সরষের তেল, ২টি শুকনো লংকা, ১৫টি আস্ত গোলমরিচ, গরম মশলা— প্রতিটি ২টি, ২টি মাঝারি পেঁয়াজ, কোরানো, ১ চা চামচ আদাবাটা, ১/২ চা চামচ রসুনবাটা, রুচিমতো নুন, ২ টেবিল চামচ সাদা সরষেবাটা, ১ চা চামচ কাঁচালংকা বাটা।

প্রণালী: মাংস ধুয়ে জল ঝরিয়ে নিতে হবে পুরোপুরি। টক দই ফেটিয়ে মাংসে মাখিয়ে রাখুন যতক্ষণ সম্ভব, অন্তত আধঘণ্টা।

কড়ায় তেল গরম করে শুকনো লংকা, গোলমরিচ ও গরম মশলা ফোড়ন দিন। ফোড়ন ভাজা হলে পেঁয়াজ ছাড়ুন। পেঁয়াজ লালচে হলে আদা-রসুনবাটা দিয়ে এক মিনিট নাড়ুন।

এবার মাংস দিয়ে ভালভাবে কষতে থাকুন মাঝারি আঁচে। নিজের জলেই মাংস হয়ে যাবে; নেহাত প্রয়োজন হলে গরম জলের ছিটে দেবেন।

মাংস সেদ্ধ হলে সরষে ও কাঁচালংকা বাটা একসঙ্গে মিশিয়ে ঢালুন। ঢাকা দিয়ে একটু হতে দিন। সব বেশ মিলে মিশে গা মাখা মতো হলে নামান। কাঁচালংকা দিয়ে সাজিয়ে দেবেন।

রুটি, পরোটার সঙ্গেও ভাল লাগে; ভাতের সঙ্গে তো বটেই।

মিট মহুয়া

এই রান্নাটির জন্য একটু নরম মাংস চাই এবং হাড় যেন কম থাকে। সুবিধে এই যে সকালে মাংসে সব মশলা মাখিয়ে বিকেলে রাঁধা যাবে।

উপকরণ: $^{১}/_{২}$ কেজি মাংস, রুচিমতো নুন, $^{১}/_{২}$ চা চামচ হলুদ, ১ চা চামচ কাশ্মীরি লংকা গুঁড়ো, ১ টেবিল চামচ সাদা তেল, ২টি বড় পেঁয়াজ কোরানো, ৪ কোয়া রসুন কুচোনো, ১ টেবিল চামচ কাঁচা পেঁপে কোরা, ২ টেবিল চামচ কাজুবাটা, ১ টেবিল চামচ পোস্তবাটা, $^{১}/_{২}$ কাপ টম্যাটো পিউরি, ১ টেবিল চামচ মাখন, ১ চা চামচ সাদা তেল, ১ চা চামচ জিরে, ২টি তেজপাতা, $^{১}/_{২}$ চা চামচ গুঁড়ো গরম মশলা।

প্রণালী: মাংসে নুন, হলুদ, লংকা, সাদা তেল, কোরানো পেঁয়াজ, রসুন ও কাঁচা পেঁপে মাখিয়ে ঘণ্টাখানেক রাখুন। তারপর কাজু-পোস্তবাটা ও টম্যাটো পিউরি মাখিয়ে আরও ২ ঘণ্টা রাখুন। সময়ের অভাব হলে সব একসঙ্গেও মাখিয়ে রাখতে পারেন।

কড়ায় মাখন ও তেল একসঙ্গে গরম করে জিরে ও তেজপাতা ফোড়ন দিন। ফোড়ন হলে মশলাসুদ্ধু মাংস ঢালুন। কষতে থাকুন।

জল প্রায় শুকোলে, জল ও গরম মশলার গুঁড়ো দিয়ে কুকারে ১০ মিনিট সেদ্ধ করে নিন।

এতে আলুও দেওয়া যাবে কুকারে দেবার সময়।

মেটে চচ্চড়ি

এই রান্নাটি শিখে রাখুন। নানাভাবে কাজে দেয়। টোস্টের ওপর দিয়ে খাওয়া যায়। স্যান্ডউইচের পুর হিসেবেও ব্যবহার করা চলে। তা ছাড়া রুটি, পরোটা বা ডাল ভাতের সঙ্গেও পরম উপাদেয়।

উপকরণ: ২৫০ গ্রাম মেটে, ১/৪ কাপ ভিনিগার, ১ টেবিল চামচ তেল বা মাখন, ২টি বড় পেঁয়াজ, মিহি কুচোনো, নুন রুচিমতো, ২ টেবিল চামচ টাটকা গুঁড়োনো গোলমরিচ।

প্রণালী: নিয়ম হচ্ছে মেটে না ধুয়ে রান্না করা। তবে ধুতে যদি হয়ই তো হালকা করে ধুয়ে মুছে নেবেন। মেটে থুড়ে নিতে হবে বা খুব ছোট্ট করে কেটে নিতে হবে। আর ধোবেন না।

কাটা মেটে ভিনিগারে ভিজিয়ে রাখুন ২-৪ ঘণ্টা।

ফ্রাইং প্যানে মাখন বা তেল (মাখনে স্বাদ বেশি ভাল হয়) গরম করে পেঁয়াজকুচি ছাড়ুন। পেঁয়াজ একটু নরম হলে মেটে ঢালুন। নুনও দিন এই সময়। মাঝে মাঝে নাড়বেন। জল বেরোবে। জল শুকোতে শুকোতে মেটেও হয়ে যাবে। মেটে বেশি সেদ্ধ করতে নেই। শক্ত হয়ে যায়। শেষে মরিচ গুঁড়ো দিয়ে নামান।

ঠান্ডা হলেও খেতে ভাল লাগে।

কিমার বিলিতি রায়তা

উপকরণ: ২৫০ গ্রাম কিমা, সেদ্ধ করা, ১/২ চা চামচ লংকাগুঁড়ো, ১ চা চামচ জিরে গুঁড়ো, রুচিমতো নুন, ১ টেবিল চামচ সাদা তেল, ১/২ কাপ জল ঝরানো টক দই, ১/২ কাপ মেয়োনেজ, ১ চা চামচ ভাজা জিরের গুঁড়ো, ১ চা চামচ চাট মশালা, ১ চা চামচ বিট নুন, ১ কাপ কুচোনো আনারস, ১ কাপ আঙুর, ২ টেবিল চামচ আখরোট কুচি।

প্রণালী: কড়ায় তেল গরম করে কিমা, লংকা ও জিরে গুঁড়ো দিয়ে ভাল করে নেড়েচেড়ে সব বেশ শুকোলে নামিয়ে রাখুন।

টক দই, মেয়োনেজ, জিরে ভাজার গুঁড়ো, চাট মশলা, ও বিট নুন একসঙ্গে মিশিয়ে নিতে হবে।

পরিবেশনের বাটিতে— কাচের হলে দেখাবে ভাল—কিমা দইয়ের মিশ্রণ, ফল ও আখরোট থাকে থেকে সাজান। দুটি করে স্তর হবে। শেষে ফল থাকবে।

এতে একটু কাঁচালংকা কুচি বা টাটকা গুঁড়োনো গোলমরিচ ছড়াতে পারেন।

ঠান্ডা করে খেতে দেবেন। যে কোনও মেনুর ভাল সাইড ডিশ।

হাওয়াইয়ান মটন

হাওয়াই দ্বীপপুঞ্জে এই রান্নাটি পর্ক দিয়ে রাঁধা হয়। আমি মাংস দিয়ে রাঁধি। যাঁরা পর্ক খান, তাঁরা অবশ্যই ব্যবহার করতে পারেন।

উপকরণ: ১/২ কেজি হাড়ছাড়া মাংস, ছোট টুকরোয় কাটা, ১টি ডিম, ২ টেবিল চামচ ময়দা, নুন ও মরিচ রুচিমতো, ভাজবার জন্য সাদা তেল, ১/২ কাপ চিকেন স্টক, ১/২ কাপ আনারসের রস, ৩টি ক্যাপসিকাম চৌকো টুকরোয় কাটা।

সস: ১ টেবিল চামচ কর্নফ্লাওয়ার, ১ ১/২ টেবিল চামচ সয়া সস, ২ টেবিল চামচ চিনি, ২ টেবিল চামচ ভিনিগার, ২ টেবিল চামচ আনারসের রস, ১/২ কাপ জল।

সাজানোর জন্য: টুকরো করা আনারস ও পার্সলি কুচি।

প্রণালী: ডিম, ময়দা, নুন ও মরিচ একসঙ্গে ফেটিয়ে ব্যাটার তৈরি করুন। একটি একটি করে মাংসের টুকরো ডুবিয়ে তেলে ভেজে তুলুন।

ভাজা মাংস, স্টক ও আনারসের রস মিশিয়ে প্রেসার কুকারে সেদ্ধ করুন। বেশি জল থাকলে একটু শুকিয়ে নিন। ক্যাপসিকামের টুকরো দিন। তিন রঙা ক্যাপসিকাম ব্যবহার করলে দেখাবে ভাল। ৫ মিনিট ফোটান। ক্যাপসিকাম যেন পুরো সেদ্ধ না হয়। একটু কচকচে ভাব থাকবে। ইতিমধ্যে জল একেবারে শুকিয়ে যাওয়া চাই।

প্লেটে মাংস সাজিয়ে ওপরে সস ঢেলে দিন। আনারসের টুকরো ও পার্সলি কুচি দিয়ে সাজিয়ে পরিবেশন করুন।

সস: সব উপকরণ একসঙ্গে মিশিয়ে ফুটিয়ে গাঢ় করে নিতে হবে।

মেক্সিকান কিমা

উপকরণ: ২ কাপ সেদ্ধ রাজমা, ২ টেবিল চামচ মাখন, ২ টেবিল চামচ সাদা তেল, $^{১}/_{২}$ কেজি কিমা, ২টি বড় পেঁয়াজ কোরানো, ২টি বড় ক্যাপসিকাম (মিহি কুচনো), ৬টি বড় পাকা টম্যাটো, কোরানো, ১ টেবিল চামচ কাশ্মীরি লংকাগুঁড়ো, ১ টেবিল চামচ ভিনিগার, ১ টেবিল চামচ চিনি, ১ টেবিল চামচ মোটা করে গুঁড়োনো মরিচ, রুচিমতো নুন, ২ কাপ স্টক বা জল।

প্রণালী: ১ কাপ রাজমা একরাত জলে ভিজিয়ে সেদ্ধ করে নিতে হবে। কুকারে ২০ মিনিট রাখলেই হবে।

মাখন ও তেল একসঙ্গে গরম করে কিমা, পেঁয়াজ ও ক্যাপসিকাম একসঙ্গে ভাজুন ১০ মিনিট। এবার কোরানো টম্যাটো, কাশ্মীরি লংকা, ভিনিগার, চিনি, মরিচ ও নুন দিয়ে নাড়ুন। সব বেশ মিলেমিশে যাওয়া চাই; আরও ১০ মিনিট লাগবে।

এবার সেদ্ধ রাজমা ও স্টক দিয়ে তেজ আঁচে ঢাকা দিয়ে মিনিট পনেরো হতে দিন। এর মধ্যেই কিমা সেদ্ধ হয়ে গাঢ় থকথকে হবে।

ভাতের সঙ্গে সবচেয়ে উপযোগী। তবে রুটি-পরোটার সঙ্গেও চলবে।

চিকেন

বাহারি চিকেন

এই ধরনের কিছু সাধারণ অথচ সুস্বাদু রান্না নিজের আয়ত্তে রাখা ভাল। কোনও ঝামেলা নেই অথচ লোক খাওয়ালে রাঁধা যাবে, এতটাই সুস্বাদু।

উপকরণ: ১ কেজি চিকেন, ২৫০ গ্রাম টক দই, ২ টেবিল চামচ সাদা তেল, ২টি তেজপাতা, ২টি শুকনো লংকা, ১৫টি আস্ত গোলমরিচ, ৪টি ছোট এলাচ, ২ টুকরো দারচিনি, ৪টি লবঙ্গ, ১ কাপ পেঁয়াজ বাটা, ১ চা চামচ আদা বাটা, ১ চা চামচ রসুন বাটা, ২ চা চামচ কাশ্মীরি লংকাগুঁড়ো, রুচিমতো নুন, ১ চা চামচ চিনি, ১/২ চা চামচ গুঁড়ো গরম মশলা, ৮-১০টি কাগজি বাদামের গুঁড়ো, ১ চা চামচ গোলাপ জল (না দিলেও চলে)।

প্রণালী: ফেটানো টক দইয়ে চিকেন ভিজিয়ে রাখুন অন্তত ১ ঘণ্টা বা যতক্ষণ সম্ভব।

কড়ায় তেল গরম করে তেজপাতা, ছেঁড়া শুকনো লংকা, গোলমরিচ ও থেঁতো করা গরম মশলা ফোড়ন দিন, ফোড়ন ভাজা হলে দই থেকে চিকেন তুলে ছাড়ুন। ভাল করে নেড়ে পেঁয়াজ, আদা, রসুনবাটা, কাশ্মীরি লংকা, নুন ও চিনি দিয়ে কম আঁচে নাড়তে থাকুন।

পাঁচ মিনিট পর দইটুকু (যা চিকেনে মাখানো ছিল) দিন। কম আঁচে ঢেকে ঢেকে রাঁধুন। কষতে কষতেই হয়ে যাবে। প্রয়োজন হলে আধ কাপ গরম জল দিয়ে কুকারে দুটি সিটি দিয়ে নেবেন।

শেষে কাগজি বাদাম গুঁড়ো, গরম মশলা গুঁড়ো ও গোলাপ জল দিয়ে ৫ মিনিট ঢাকা দিয়ে রাখুন।

সাধারণ চিকেন কারি

নামে সাধারণ হলেও খেতে মোটেই সাধারণ নয়। খুব কম উপকরণেও রান্না যে কতটা সুস্বাদু হতে পারে এটি তারই প্রমাণ। তবে টাটকা গুঁড়োনো মরিচ চাই-ই।

উপকরণ: ১ কেজি চিকেন, ২৫০ গ্রাম টক দই, ১ টেবিল চামচ চিনি, রুচিমতো নুন, ২ টেবিল চামচ মোটা করে গুঁড়োনো গোলমরিচ ভরা ভরা, ২ টেবিল চামচ সাদা তেল, ১ কাপ পেঁয়াজ বাটা, ১ চা চামচ কোরানো আদা।

প্রণালী: চিকেন মাঝারি টুকরোয় কাটতে হবে। টক দই ফেটিয়ে তার সঙ্গে নুন, মরিচ ও চিনি মিশিয়ে চিকেনে মাখিয়ে রাখুন ২-৪ ঘণ্টা।

কড়ায় বা স্কিলেটে তেল গরম করে পেঁয়াজবাটা ছাড়ুন। গোলাপি হলে চিকেন দিয়ে ঢাকুন। ঢেকে ঢেকে নেড়েচেড়ে রান্না হবে। জল দেবেন না। চিকেন সেদ্ধ হয়ে বেশ লালচে হলে নামান।

ইচ্ছে হলে ওপর থেকে আরও গোলমরিচ ছড়িয়ে খেতে দিন।

চিকেন ভেল্লা কোর্মা

এটি খেতে এতই ভাল যে আমি পুরো এক কেজি চিকেনের আন্দাজেই লিখলাম। লোক খাওয়ালে সুবিধে হবে। নিজের জন্য রাঁধতে হলে আন্দাজ কমিয়ে নিলেই হল।

উপকরণ: ১ কেজি চিকেন, ১৬ টুকরোয় কাটা, $^{১}/_{২}$ কাপ গাঢ় টক দই, ১$^{১}/_{২}$ চা চামচ আদা বাটা, ১ চা চামচ রসুনবাটা, ১$^{১}/_{২}$ চা চামচ কাঁচালংকা বাটা, ১/২ কাপ পেঁয়াজ বাটা, ৩ টেবিল চামচ সাদা তেল, ১ চা চামচ চিনি, ১ ছড়া কারিপাতা, ২ কাপ নারকোলের পাতলা দুধ, $^{১}/_{২}$ কাপ নারকোলের গাঢ় দুধ, ১টি বড় পেঁয়াজ, মিহি কুচোনো, আধ কাপ ধনেপাতা কুচি, রুচিমতো নুন।

একসঙ্গে বাটুন: ১০টি কাজুবাদাম, ২ চা চামচ পোস্ত, ১$^{১}/_{২}$ চা চামচ মৌরি, ১ টেবিল চামচ নারকোল কোরা।

প্রণালী: চিকেনের টুকরো ধুয়ে শুকনো করে নিতে হবে। টক দই, আদা-রসুন, কাঁচালংকা বাটা ও পেঁয়াজ বাটা মাখিয়ে চিকেন ২ ঘণ্টা ভিজিয়ে রাখুন। আরও বেশিও রাখা যাবে।

গরম তেলে পেঁয়াজ কুচি দিন। হালকা রং ধরলে মশলাসুদ্ধু চিকেন ঢালুন। নেড়েচেড়ে রান্না করুন। জল খানিকটা শুকোলে বাটা মশলা, নুন, চিনি ও কারিপাতা দিয়ে আরও ৪-৫ মিনিট কষুন।

এবার নারকোলের পাতলা দুধটুকু দিয়ে হতে দিন। প্রেসার কুকারেও ৫ মিনিট সেদ্ধ করতে পারেন। চিকেন হবার পর গাঢ় ঝোল থাকা চাই। দরকার হলে আঁচ বাড়িয়ে বাড়তি জল শুকিয়ে নিন। শেষে নারকোলের গাঢ় দুধ ও ধনেপাতা মিশিয়ে নামান।

ওপরে কটি কাজুবাদাম সাজিয়ে খেতে দিন।

প্যান ফ্রায়েড চিকেন

গরম সিজলার-ট্রের ওপর লেটুস বা বাঁধাকপির পাতা বিছিয়ে তার ওপর চিকেন ও সস সার্ভ করুন। চিকেন সিজলার হয়ে যাবে।

উপকরণ: ৪টি হাড়ছাড়া চিকেনের বুকের অংশ, ১ চা চামচ নুন, ১ চা চামচ মরিচ, ১ টেবিল চামচ সাদা তেল, ১ চা চামচ অরিগানো, ৪ টেবিল চামচ সাদা তেল, ফুলকপি, গাজর, বেবি কর্ন, চেরি, টম্যাটো। প্রতিটি ১০০ গ্রাম।

সস: ১ চামচ চিনি, ১ কাপ কমলালেবুর রস, নুন ও মরিচ রুচিমতো।

প্রণালী: চিকেন ব্রেস্ট একটু থুড়ে নিতে হবে; তবে বেশি পাতলা যেন না হয়। নুন, মরিচ, তেল ও অরিগানো চিকেনে মাখিয়ে রাখুন।

নন-স্টিক প্যানে ২ টেবিল চামচ তেল গরম করে দুটি করে চিকেনের টুকরো ভেজে নিন। আঁচ মাঝারি থাকবে ও লালচে হবে চিকেন। ভাজতে ভাজতেই চিকেন সেদ্ধ হয়ে যাবে। ভাজার পর টুকরোগুলি একটু ছোট হয়ে যাবে। এইভাবে চিকেনের অন্য দুটি টুকরোও ভেজে নিন।

সব সবজি হালকা সেদ্ধ করে নিয়ে ওই তেলেই অল্প সাঁতলে নিন।

সস: ছোট ফ্রাইং প্যানে চিনি দিন। একটু লালচে হলে কমলালেবুর রস দিয়ে নাড়ুন। চিনি গলে গেলে নুন ও মরিচ দিয়ে একটু গাঢ় হলে নামান।

চিকেন প্ল্যাটারে রেখে চারপাশে সেদ্ধ সবজি সাজিয়ে ওপরে সস ছড়িয়ে খেতে দিন।

চিকেন প্যান রোস্ট

আধখানা করে কাটা চিকেন দিয়েও করা যাবে বা আমি যেমন করি শুধু পা, ইত্যাদি দিয়ে রান্না করুন। নন-স্টিক প্যানে ভাজলে বেশি মাখন লাগবে না।

উপকরণ: চিকেনের ২টি পা, ২টি থাই ও ২টি বুকের অংশ, ২ টেবিল চামচ ওয়ার্স্টার সস, ১ টেবিল চামচ লেবুর রস, ১/৪ কাপ পেঁয়াজের রস, ১ চা চামচ আদার রস, রুচিমতো নুন, ২ টেবিল চামচ ভরা ভরা মাখন, ১ টেবিল চামচ টাটকা গুঁড়োনো মরিচ।

সঙ্গে দেবার জন্য: ২টি বড় পেঁয়াজ, রিং করে কাটা, ১টি বড় সেদ্ধ আলু, মেয়োনেজ দিয়ে মাখা, ১/২ কাপ সেদ্ধ মটরশুঁটি, ২টি সেদ্ধ ডিম চাকা চাকা করে কাটা, ১টি বড় টম্যাটো, মোটা মোটা চাকা করে কাটা।

প্রণালী: চিকেন ধুয়ে মুছে কাঁটা দিয়ে কটি ফুটো করে নিন। ওয়ার্স্টার সস, লেবুর রস, পেঁয়াজের রস, আদার রস ও নুন দিয়ে চিকেন ভিজিয়ে রাখুন ২ ঘণ্টা। এবার কুকারে ৫-৬ মিনিট সেদ্ধ করে নিন। জল দেবেন না। সেদ্ধ হবার পর বাড়তি জল থাকলে শুকিয়ে নিন।

নন-স্টিক ফ্রাইং প্যানে মাখন গরম করে চিকেন ভাজুন লালচে করে। তুলে রাখুন।

ওতেই পেঁয়াজ রিং দিয়ে হালকা করে ভেজে তুলুন। টম্যাটোও ভেজে নিন।

প্লেটে চিকেন রেখে চারপাশে পেঁয়াজ, টম্যাটো, সেদ্ধ আলু, মটরশুঁটি ও ডিম সাজিয়ে দিন। ওপরে মরিচ ছড়িয়ে খেতে দিন।

চিলি চিকেন পাতুরি

ফিউশন রান্না।

উপকরণ: ২৫০ গ্রাম হাড়ছাড়া চিকেনের টুকরো, ১ চা চামচ ভিনিগার, ২ চা চামচ লেবুর রস, ২ টেবিল চামচ পাতলা সয়া সস, ১ টেবিল চামচ গাঢ় সয়া সস, ১ চা চামচ আদাবাটা, ১ চা চামচ লংকা বাটা, ৩ টেবিল চামচ ভরা ভরা পেঁয়াজবাটা, ৩টি কাঁচালংকা কুচি, ১টি বড় ক্যাপসিক্যাম (সরু লম্বা করে কাটা), সামান্য নুন, ১ টেবিল চামচ কর্নফ্লাওয়ার, ১/৩ কাপ জল, ২ টেবিল চামচ সাদা তেল, এক টিপ আজিনামোটো, ১/২ চা চামচ চিনি, ২টি বড় কলাপাতা।

প্রণালী: কলাপাতা এতটাই বড় নেবেন যাতে স্কিলেটে ভালভাবে ধরে। কলাপাতা গ্যাসের ওপর একটু নাড়াচাড়া করে নিন যাতে নরম হয়ে যায়।

চিকেনে ভিনিগার, লেবুর রস ও দু'রকম সয়াসস মাখিয়ে ২-৩ ঘণ্টা রাখুন। বেশিক্ষণও রাখা যাবে। এবার বাকি সব উপকরণ মিশিয়ে নিন।

স্কিলেটে ১ টেবিল চামচ তেল মাখিয়ে একটি কলাপাতা বেছান। ওপরে চিকেন ঢেলে অন্য পাতাটি দিয়ে পুরোপুরি ঢেকে দিন। স্কিলেট ঢেকে তেজ আঁচে ৩ মিনিট হতে দিন। এরপর আঁচ কমিয়ে ৫ মিনিট হবে।

ঢাকা খুলে একবার নেড়ে আবার পাতা ও ঢাকা দিন। আরও ৩-৪ মিনিটেই হয়ে যাবে।

ফ্রায়েড রাইস বা নুডলসের সঙ্গে খেতে দিন।

মোহিংগা

এটি বার্মিজ রান্না; ওয়ান-ডিশ মিল। এই একটি পদেই ভরপেট খাওয়া হয়ে যাবে। নিজের জন্য রাঁধতে হলে এর চেয়ে সুবিধে আর কি হতে পারে?

উপকরণ: ৮ টেবিল চামচ কোকোনাট ক্রিম, ১ কাপ হাড়ছাড়া চিকেনের ছোট ছোট টুকরো, ২ কাপ নারকোলের দুধ, ২ কাপ চিকেন স্টক।

পরিবেশনের জন্য: ৪ কাপ সেদ্ধ নুডল্‌স, ১ চা চামচ ফিশ সস, কুচোনো গাছ পেঁয়াজ, সাদা ও সবুজ অংশ, চিলি ফ্লেক্স, ভাজা নুডলস— সব প্রয়োজনমতো।

বাটা মশলা: ২ টেবিল চামচ সাদা তেল, ১ টেবিল চামচ কোরানো আদা, ৬-৮ কোয়া রসুন, ১টি বড় পেঁয়াজ কুচোনো, ৪টি শুকনো লংকা বা কম বেশি রুচিমতো, ১ চা চামচ কাঁচালংকা কুচি, ১ কাপ ধনেপাতা কুচি, ১ চা চামচ ধনে গুঁড়ো, ১ চা চামচ সয়া সস, রুচিমতো নুন।

বাটা মশলা: কড়ায় তেলটুকু গরম করে এক এক করে সব উপকরণ দিন। ১টি উপকরণ দিয়ে নেড়ে তারপর অন্যটি দেবেন। সবকিছু দিয়ে মিনিট ২-৩ ভেজে নামান। একটু ঠান্ডা হলে বেটে নিন।

প্রণালী: বড় সসপ্যানে ৪ টেবিল চামচ কোকোনাট ক্রিম দিন। গরম হলে পুরো বাটা মশলা দিয়ে নাড়তে থাকুন। শুকিয়ে এলে চিকেনকুচি দিয়ে ২ মিনিট ভাজুন। এবার নারকোলের দুধ ও স্টক দিয়ে ঢাকা দিন। আঁচ বাড়ানোই থাকবে। চিকেন সেদ্ধ হলে বাকি কোকোনাট ক্রিম মিশিয়ে নামান।

৪টি বড় সুপ বোলে ১ কাপ করে সেদ্ধ নুডলস্ রেখে ওপরে চিকেনের

সুপ সমানভাবে ভাগ করে দিন, তার ওপর বাকি সব উপকরণ ছড়িয়ে দিন। সবশেষে ভাজা নুডলস্ দেবেন।

তক্ষুণি পরিবেশন করুন, নয়তো ভাজা নুডলস্ নরম হয়ে যাবে।

চিকেন পাস্তা স্যালাড

দেশি ও কন্টিনেন্টাল রান্নার ফিউশন। ডিনারের মেনুতেও যেমন খাপ খায় তেমনি যে কোনও সুপ বা স্ন্যাক্সের সঙ্গে হালকা মেনু হিসেবেও চলে।

উপকরণ: ২৫০ গ্রাম সেদ্ধ হাড়ছাড়া চিকেনের টুকরো, ১৫০ গ্রাম পনির ছোট টুকরো করা, ১ কাপ সেদ্ধ যে কোনও ছোট আকারের পাস্তা।

ড্রেসিং: $^3/_4$ কাপ গাঢ় টক দই, $^1/_2$ কাপ ধনেপাতার চাটনি, $^1/_2$ চা চামচ কাঁচালংকা বাটা (বাদ দিতে পারেন), ১ চা চামচ চিনি, রুচিমতো নুন।

প্রণালী: পনির ও পাস্তা একসঙ্গে মিশিয়ে রাখুন। ড্রেসিংয়ের সব উপকরণ একসঙ্গে মিশিয়ে চিকেনে মেশান। ঠান্ডা করে খেতে দিন।

রিজেন্সি চিকেন

টম্যাটো গরমজলে মিনিটখানেক ফুটিয়ে ঠান্ডা জলে ফেলুন। এবার সহজেই খোসা ছাড়ানো যাবে।

উপকরণ: ২টি চিকেনের হাতছাড়া বুকের অংশ, ২ টেবিল চামচ ওয়ার্স্টার সস, নুন ও মরিচ আন্দাজমতো, দরকারমতো ময়দা, ভাজবার জন্য সাদা তেল, ২ কিউব চিজ কোরানো।

টম্যাটো সস: ২টি বড় টম্যাটো, খোসা ছাড়িয়ে কুরোনো, ১টি বড় পেঁয়াজ, মিহি কুচোনো, ১টি বড় ক্যাপসিকাম, মিহি কুচোনো, ১ চা চামচ ভিনিগার, ১ টেবিল চামচ চিনি, নুন ও মরিচ আন্দাজমতো।

প্রণালী: চিকেনের টুকরো দুটি মিট ম্যালেট বা ছুরির পেছন দিক দিয়ে আস্তে আস্তে থুড়ে নিন। দেখবেন যেন ছিঁড়ে না যায়। চিকেনের টুকরো এর ফলে একটু পাতলা ও বড় হয়ে যাবে। ওপরে ওয়ার্স্টার সস, নুন ও মরিচ ছড়িয়ে আধ ঘণ্টা রাখুন।

ময়দাতে নুন ও মরিচ মিশিয়ে চিকেনে মাখান। নন-স্টিক প্যানে কম তেলে চিকেনের দু'দিক ভাল করে ভেজে তুলুন। বেশ লালচে ভাজা চাই।

বেকিং ডিশে চিকেন রেখে ওপরে টম্যাটো সস ছড়িয়ে কোরানো চিজ দিয়ে ঢেকে দিন। ১৮০° সে. তাপমাত্রায় বেক করুন ১০-১৫ মিনিট।

টম্যাটো সস: সব উপকরণ একসঙ্গে আঁচে বসিয়ে ফোটান। বেশ গাঢ় হলে নামান। ইচ্ছে হলে এতে শুকনো অরিগানো ও বেসিল $^1\!/_2$ চামচ করে দেওয়া যেতে পারে।

চিকেন মাশরুম

মাশরুম অনেক পুষ্টিগুণে ভরা। অথচ ক্যালোরি কম। নিজের মেনুতে তাই মাশরুম রাখুন নানাভাবে।

উপকরণ: ৪টি বড় চিকেন ব্রেস্ট, হাড়ছাড়া, ৩ টেবিল চামচ ওয়ার্স্টার সস, ২ টেবিল চামচ সরষে গুঁড়ো, ১ টেবিল চামচ সাদা মরিচ গুঁড়ো, রুচিমতো নুন, ২ টেবিল চামচ মাখন, ৩ টেবিল চামচ সাদা তেল, ১টি বড় পেঁয়াজ

গোল গোল করে কাটা, ১টি বড় পেঁয়াজ মিহি কুচোনো, ১ চা চামচ রসুনকুচি, ১০টি মাশরুম স্লাইস করা, ১/৪ কাপ ক্রিম।

প্রণালী: চিকেন ডুমো ডুমো করে কেটে নিয়ে ১ টেবিল চামচ ওয়ার্স্টার সস, ১ চা চামচ সরষে গুঁড়ো, ১ চা চামচ মরিচ ও সামান্য নুন মাখিয়ে রাখুন ১ ঘণ্টা।

স্কিলেটে ১ টেবিল চামচ মাখন ও ১ টেবিল চামচ তেল গরম করে পেঁয়াজ সামান্য লালচে করে ভেজে তুলুন।

ওই তেলের মধ্যেই আরও ২ টেবিল চামচ তেল দিয়ে চিকেন ভাজুন। চিকেনে একটু রং ধরলে তুলে নিন।

বাকি মাখন দিয়ে পেঁয়াজকুচি ও রসুনকুচি দিয়ে নাড়ুন। পেঁয়াজ নরম ও স্বচ্ছ হলে মাশরুম দিয়ে নাড়ুন। এবার ভাজা চিকেন, নুন, বাকি সরষে গুঁড়ো, ওয়ার্স্টার সস ও মরিচ দিয়ে নাড়ুন। মাশরুম থেকে জল বেরোবে। দরকার হলে আধকাপ স্টক বা জল দেবেন।

ঢাকা দিয়ে হতে দিন। চিকেন পুরো সেদ্ধ হলে ক্রিম মেশান। গা মাখা ঝোল থাকবে। ওপরে ভাজা পেঁয়াজ ছড়িয়ে খেতে দিন।

ডিম

মিষ্টি অমলেট

খুবই অভিনব। মিষ্টি অমলেট ধরতে গেলে আমরা খাই-ই না। অথচ ভীষণ সুস্বাদু এবং চটপট হয়ে যায়।

উপকরণ: ২টি ডিম, ৫০ গ্রাম চিনি, গুঁড়ো করা, কয়েক ফোঁটা ভ্যানিলা, ৩ টেবিল চামচ সাদা তেল, ১ ছোট কাপ আইসক্রিম, প্রয়োজনমতো চকোলেট সস, ২ টেবিল চামচ যে কোনও বাদামকুচি।

প্রণালী: ডিম ও চিনি একসঙ্গে ভাল করে ফেটিয়ে নিন। ভ্যানিলা মেশান।

নন-স্টিক ফ্রাইংপ্যানে ২ টেবিল চামচ তেল গরম করে ডিমের গোলা ঢালুন। ডিমের গোলা যেন পুরো প্যানে ছড়িয়ে যায়। নীচের দিকটি সোনালি হলে উলটে দিন। পাশ থেকে বাকি তেল ছড়িয়ে দিন। তলার দিক সোনালি হলে রোল করে নামান।

প্লেটে আইসক্রিম ছড়িয়ে তার ওপর গরম অমলেট রাখুন। ওপরে চকোলেট সস ও বাদামকুচি ছড়িয়ে খান।

আইসক্রিমের বদলে অমলেটের মধ্যে জ্যাম ভরে ওপরে স্ট্রবেরি সস দিয়ে খেতেও খুব ভাল।

আকুরি

পারসি রান্না। টোস্টের ওপর দিয়ে ব্রেকফাস্ট হতে পারে। আবার ডাল ভাতের সঙ্গেও খাপ খায়। ডিনারে রুটি বা পরোটার সঙ্গে দিলেও পুরো খাওয়া হয়ে যাবে।

উপকরণ: ৪ টেবিল চামচ সাদা তেল, ২টি মাঝারি পেঁয়াজ পাতলা গোল করে কাটা, ১$^{১}/_{২}$ চা চামচ কোরানো আদা, $^{১}/_{২}$ চা চামচ কুচোনো রসুন, ১টি কাঁচালংকা কুচোনো, $^{৩}/_{৪}$ চা চামচ জিরে গুঁড়ো, ১ চা চামচ ধনে গুঁড়ো, ১ টিপ হলুদ, $^{১}/_{২}$ চা চামচ লংকা গুঁড়ো, ১টি বড় টম্যাটো কোরানো, ১ চা চামচ ভিনিগার, $^{১}/_{২}$ চা চামচ লেবুর রস, রুচিমতো নুন ও মরিচ, ১ চা চামচ চিনি, ২ টেবিল চামচ মাখন, ৬টি ডিম, $^{১}/_{২}$ কাপ ধনেপাতা কুচি।

প্রণালী: ৩ টেবিল চামচ তেলে পেঁয়াজের চাকা দিয়ে নেড়েচেড়ে ভাজুন। লালচে হলে তেল ছেঁকে তুলে রাখুন।

ওই তেলেই বাকি তেল দিয়ে আদা, রসুন ও কাঁচালংকা ভাজতে হবে মিনিটখানেক। এবার সব মশলা দিয়ে আরও ২ মিনিট ভাজুন মাঝারি আঁচে।

এবার টম্যাটো ও ভাজা পেঁয়াজ দিন। সব মিশে গেলে ভিনিগার, লেবুর রস, চিনি, নুন ও মরিচ দিন।

এদিকে মাখন ও ডিম একসঙ্গে ফেটিয়ে নিন। আঁচ একেবারে কমিয়ে আস্তে আস্তে ডিমের মিশ্রণ ঢালুন। সমানে নাড়তে থাকুন। ডিম ছোট ছোট টুকরোয় ভাজা হয়ে যাবে। একেবারে শক্ত হয়ে যাবার আগেই নামান। নিজের গরমেই ডিম পুরো ভাজা হয়ে যাবে। শেষে ধনেপাতা ছড়ান।

এতে বাদাম ও কিশমিশ কুচিও দেওয়া চলে।

টম্যাটো ডিম

পারসিদের অতি প্রিয় রান্না।

উপকরণ: ১/২ কেজি টম্যাটো, ৩টি বড় পেঁয়াজ, ২.৫ সেমি টুকরো দারচিনি, ২টি লবঙ্গ, ১/২ টেবিল চামচ রসুনবাটা, ১ চা চামচ লংকা গুঁড়ো, ১/২ কাপ ধনেপাতা কুচি, রুচিমতো নুন, ২ চা চামচ চিনি, ২ টেবিল চামচ মল্ট ভিনিগার, ১ টেবিল চামচ ওয়ার্সেস্টারশায়ার সস, ৪টি ডিম, ৪ চা চামচ চিজ স্প্রেড।

প্রণালী: টম্যাটো পাকা হওয়া চাই। একটি বড় ডেকচিতে জল ফোটান। ফুটে উঠলে টম্যাটোগুলি দিন। ২ মিনিট ফুটলে নামিয়ে ৫ মিনিট ঢেকে রাখুন। এবার টম্যাটোর খোসা ছাড়িয়ে ভেতরের বিচি বাদ দিয়ে কুচিয়ে নিন।

এবার কড়া বা বড় স্কিলেটে টম্যাটো, পেঁয়াজকুচি, দারচিনি, লবঙ্গ, রসুনকুচি ও লংকা গুঁড়ো একসঙ্গে আঁচে বসান। ফুটতে থাকুক। মাঝে মাঝে নাড়বেন। খানিকটা গাঢ় হলে ধনেপাতা ও নুন দিন।

সস বেশ গাঢ় হলে চিনি, ভিনিগার ও ওয়ার্সেস্টারশায়ার সস দিয়ে নাড়তে থাকুন, গাঢ় থকথকে হলে নামান। দারচিনি ও লবঙ্গ ফেলে দিন। সব বানাতে অন্তত ২০-২৫ মিনিট লাগবেই।

একটি বেকিং ডিশে টম্যাটো সস ছড়ান। ওপরে চার জায়গায় হাতার পেছন দিয়ে চেপে চেপে গর্ত করুন। ডিম চারটি সাবধানে ভেঙে গর্তের মধ্যে ঢালুন। দেখবেন, কুসুম যেন ভেঙে না যায়। প্রতিটি ডিমের ওপর ১ চামচ চিজ স্প্রেড ঢালুন। ১৮০° সে. আভেনে ১০ মিনিট বেক করুন। পাত্রটি ফয়েল দিয়ে ঢাকতেও পারেন।

ডিমের চচ্চড়ি

এই রান্নাটিতে তেল একটু বেশি লাগে।

উপকরণ: ২টি সেদ্ধ ডিম, ২টি মাঝারি সেদ্ধ আলু, ১/৩ কাপ বেসন, ১/৩ কাপ চালের গুঁড়ো, ১/৩ কাপ ময়দা, ১/২ চা চামচ চিলি ফ্লেকস্, রুচিমতো নুন, ২টি ডিম ভাজবার জন্য সাদা তেল, ২ সেমি টুকরো দারচিনি, ২টি ছোট এলাচ, ১টি বড় পেঁয়াজ স্লাইস করা, ১ টিপ হলুদ, ১/২ চা চামচ লংকা গুঁড়ো, ৪টি কাঁচালংকা চেরা, একমুঠো ধনেপাতা কুচি।

একসঙ্গে বাটুন: ১টি বড় টম্যাটো, ১টি বড় পেঁয়াজ, ২ সেমি আদা, ৪ কোয়া রসুন, ২ টেবিল চামচ টক দই।

প্রণালী: সেদ্ধ ডিম চার টুকরোয় কেটে নিতে হবে, সেদ্ধ আলু মোটা মোটা লম্বা টুকরোয় কেটে রাখুন।

বেসন, চালের গুঁড়ো, ময়দা, লংকা, ১/৪ চা চামচ নুন ও একটি কাঁচা ডিম একসঙ্গে মিশিয়ে নিন। এবার প্রয়োজনমতো জল দিয়ে ব্যাটার তৈরি করুন। পকোড়ার মতো গোলা চাই।

কড়ায় একটু বেশি পরিমাণে তেল গরম করুন। ব্যাটারে ১ চামচ গরম তেল মেশান। ডিমের টুকরোগুলি ব্যাটারে ডুবিয়ে সোনালি করে ভেজে তুলুন।

কড়ায় ৩ টেবিল চামচ তেলে দারচিনি ও এলাচ ফোড়ন দিন। পেঁয়াজ কুচি দিয়ে নাড়ুন। হালকা রং ধরলে বাটা মশলা, হলুদ, লংকা ও নুন দিয়ে কষুন। বেশ ভালভাবে কষা হলে ১টি ফেটানো ডিম দিয়ে নাড়তে থাকুন। ডিম বেশ টুকরো টুকরো হয়ে জমে যাবে।

চেরা কাঁচালংকা, ভাজা ডিম ও আলু দিয়ে নাড়ুন। মশলা সবকিছুর গায়ে ভালভাবে লেগে যাওয়া চাই। সামান্য জল দিয়ে একটু হতে দিন। বেশ

শুকনো মতো হবে। ধনেপাতা কুচি ছড়িয়ে পরিবেশন করুন।

ফ্রায়েড রাইস, রুটি, লুচি সবের সঙ্গেই ভাল লাগে।

ডিমের ডালনা

এই সহজ, সুস্বাদু রান্নাটি নিজের জন্য শিখে রাখা একান্ত প্রয়োজন। ডিম সবসময় হাতের কাছেই থাকে; সঙ্গে ভাত বা রুটি হলেই হল।

উপকরণ: ৪টি সেদ্ধ ডিম, ৪টি মাঝারি আলু, ২ টেবিল চামচ সরষের তেল বা সাদা তেল, ১ টেবিল চামচ ঘি (না দিলেও চলে), ১ চা চামচ জিরে, ২টি তেজপাতা, ৩ টেবিল চামচ ভরা পেঁয়াজ বাটা, ১ চা চামচ আদা বাটা, ১/২ চা চামচ লংকা গুঁড়ো, ১/২ চা চামচ হলুদ, ২ টেবিল চামচ টক দই অথবা ২টি মাঝারি টম্যাটো কুচি, রুচিমতো নুন।

প্রণালী: ডিম সেদ্ধতে কটি চির দিয়ে সামান্য নুন ও হলুদ মাখিয়ে তেলে হালকা করে ভেজে তুলুন। আলু সেদ্ধ করে টুকরো করে কাটুন। ইচ্ছে হলে আলুও হালকা করে ভেজে নিতে পারেন।

কড়ায় তেল ও ঘি একসঙ্গে গরম করে জিরে ও তেজপাতা ফোড়ন দিন। ফোড়ন হলে পেঁয়াজ, আদা ও রসুনবাটা ভেজে হলুদ ও লংকা একটু জল ছিটিয়ে কষুন। মশলা ভাজার গন্ধ বেরোলে টক দই বা টম্যাটো ও নুন দিয়ে কষুন।

জল শুকোলে প্রয়োজনমতো জল ও আলু দিয়ে ফুটতে দিন ৫ মিনিট। এবার সেদ্ধ ডিম দিয়ে আরও ৫ মিনিট ফুটিয়ে নামান। খানিকটা ঝোল থাকা চাই।

ওপরে ধনেপাতাকুচি ছড়িয়ে দেবেন।

ডিমের কিমা

ডিম টাটকা না খারাপ বোঝার একটি উপায় হল একবাটি জলে ডিমটি ডুবিয়ে দেওয়া। ভাল ডিম হলে ডিম একেবারে জলের তলায় থাকবে, নয়তো ভেসে উঠবে।

উপকরণ: ২টি মাঝারি পেঁয়াজ পাতলা স্লাইস করা, ২ কোয়া রসুন কুচোনো, ১টি কাঁচালংকা কুচনো, ১টি টম্যাটো কুচোনো, $^{১}/_{৪}$ চা চামচ হলুদ, $^{১}/_{২}$ চা চামচ চিনি, ২টি বড় আলু ছোট ডুমো করে কাটা, ৪টি বড় ডিম, $^{১}/_{৪}$ চা চামচ গুঁড়ো গরম মশলা, নুন ও মরিচ আন্দাজমতো, ১ টেবিল চামচ সাদা তেল।

প্রণালী: কড়ায় তেল গরম করে পেঁয়াজ, রসুন ও কাঁচালংকা ভাজুন, পেঁয়াজ নরম হলে হলুদ দিয়ে আরও মিনিটখানেক কষুন।

টম্যাটো, চিনি, নুন ও মরিচ দিয়ে ২ মিনিট কষে আলু দিয়ে ভাল করে নাড়ুন। আলুর গায়ে ভালভাবে মশলা লেগে গেলে $^{১}/_{২}$ কাপ জল দিয়ে ঢাকা দিন। আলু ছোট করে কাটা বলে তাড়াতাড়ি সেদ্ধ হয়ে যাবে।

এবার ডিমকটি ফেটিয়ে আলুর মধ্যে ঢেলে সমানে নাড়তে থাকুন। ডিম ছানা ছানা মতো হয়ে যাবে। আঁচ তেজ থাকা চাই। শেষে গরম মশলা গুঁড়ো ও ইচ্ছে হলে ১ কাপ ধনেপাতা কুচি দিয়ে নামান। গাঢ় থকথকে হবে।

রুটি অথবা ডাল-ভাতের সঙ্গে পরিবেশন করুন। এর সঙ্গে ক্যাপসিকাম কুচি দিলেও খুব সুস্বাদু হয়।

ফ্রিতাতা

এটা বেশ বড়সড় অমলেট জাতীয় একটি পদ, অন্তত দু'জনের পেট ভরা খাবার। শুধু নিজের জন্য হলে বাকিটুকু পরদিন খাবেন ফ্রিজে রেখে।

উপকরণ: ৫টি ডিম, ২ কিউব কোরানো চিজ, ২ টেবিল চামচ ধনেপাতা, নুন ও মরিচ আন্দাজমতো, ৪ টেবিল চামচ সাদা তেল, ১টি মাঝারি পেঁয়াজ কুচোনো, ১ চা চামচ কোরানো আদা, ১টি কাঁচালংকা কুচোনো, ১টি বড় আলু সেদ্ধ চাকাচাকা করে কাটা।

প্রণালী: ডিম, অর্ধেক চিজ, ধনেপাতা, নুন ও মরিচ একসঙ্গে ফেটিয়ে নিতে হবে।

ফ্রাইংপ্যানে তেল গরম করে পেঁয়াজ, আদা ও কাঁচালংকা দিন। নেড়েচেড়ে ভাজুন। পেঁয়াজ গোলাপি হলে অর্ধেক ফেটানো ডিমের মিশ্রণ ঢেলে ওপরে সেদ্ধ আলুর চাকাগুলি সাজান। ওপরে কোরানো চিজ ছড়িয়ে বাকি ডিম ছড়িয়ে দিন। ডিম যেন আলুর ওপর ভালভাবে ছড়িয়ে যায়। মাঝারি আঁচে হতে দিন।

নীচের দিকটি ও ধারগুলি সোনালি হলে এক তো গ্রিল করতে পারেন। ওপরটা সেট হলে বার করে কেটে কেটে পরিবেশন করুন। অথবা ফ্রাইংপ্যানের ওপর একটি বড় প্লেটে উপুড় করে প্যান উলটে ফ্রিতাতা বার করে নিন। এবার ফ্রিতাতার কাঁচা দিক নীচে করে ফ্রাইংপ্যানে ঢালুন। ভেজে নিন। সেক্ষেত্রে প্রথমে ৩ টেবিল চামচ তেল দিয়ে শেষে বাকি তেল দেবেন।

১৪৩

থ্রি-ইন-ওয়ান অমলেট

উপকরণ: ৯টি ডিম, ১ কাপ হ্যামের কুচি, ১ কাপ মাশরুম মিহি কুচোনো, ৩/৪ কাপ মিহি কুচোনো পেঁয়াজ, ১/২ কাপ মিহি কুচোনো ক্যাপসিকাম, ২ টেবিল চামচ ক্রিম, নুন ও মরিচ আন্দাজমতো, ভাজবার জন্য সাদা তেল।

প্রণালী: ফ্রাইংপ্যানে ১ টেবিল চামচ তেল গরম করুন। ১/৪ কাপ পেঁয়াজ কুচি দিন। মিনিটখানেক নেড়ে মাশরুম, নুন ও মরিচ দিয়ে সামান্য নেড়ে ক্রিম দিয়ে দিন, সবটি মিশিয়ে নামান। তিনটি ডিম একসঙ্গে ফেটিয়ে ১/৪ ভাগ পেঁয়াজ, হ্যামের কুচি, সামান্য নুন ও মরিচ মেশান। ফ্রাইংপ্যানে যৎসামান্য তেলে ডিমের মিশ্রণ ঢেলে একটি গোল অমলেট তৈরি করুন। দু'দিকই ভাজবেন। নামিয়ে রাখুন।

আরও তিনটি ডিম ফেটিয়ে তার সঙ্গে বাকি পেঁয়াজ, ক্যাপসিকাম, এক টিপ নুন ও মরিচ মিশিয়ে একইভাবে আর একটি গোলাকার অমলেট তৈরি করে নিন।

এবার বাকি ডিম ও মাশরুমের মিশ্রণ দিয়ে শেষ অমলেটটি তৈরি করুন। এই অমলেটগুলি একটু লালচে ভাজা চাই।

একের ওপর একটি অমলেট দিয়ে সাজান। টুকরো করে কেটে খেতে দিন। সঙ্গে টম্যাটো সালসা বা শশার রায়তাও ভাল লাগবে।

চিলি এগ

একেবারে সময় লাগে না। নুডলস, রুটি এমনকী পাউরুটি টোস্টের সঙ্গেও খাওয়া চলে।

উপকরণ: ৪টি সেদ্ধ ডিম, ১টি বড় পেঁয়াজ, ১টি বড় ক্যাপসিকাম, রুচিমতো নুন, ২ টেবিল চামচ সাদা তেল, ২ টেবিল চামচ সয়া সস, ১ টেবিল চামচ ভিনিগার, ১ চা চামচ আদাবাটা, $^{১}/_{২}$ চা চামচ লংকাগুঁড়ো, ১ চা চামচ লেবুর রস, ৪টি কাঁচালংকা চেরা, ১ কাপ চিকেন স্টক, $^{১}/_{২}$ চা চামচ চিনি, ১ চিমটি আজিনামোটো, ১ টেবিল চামচ কর্নফ্লাওয়ার।

প্রণালী: সেদ্ধ ডিম ভেজে আধখানা করে কেটে নিন। অবশ্য ইচ্ছে হলে ডিম কাঁচাও রাখা যায়।

পেঁয়াজ ৪ টুকরোয় কেটে পাপড়ি আলাদা করে রাখুন। ক্যাপসিকামের বিচি বাদ দিয়ে চৌকো টুকরো করে কাটুন। কড়ায় তেল গরম করে পেঁয়াজ ও ক্যাপসিকাম ছাড়ুন। তেজ আঁচে নেড়েচেড়ে ভাজুন। এক চিমটি নুন দিতে পারেন। সবজি সামান্য নরম হয়ে চকচক করলে নামান।

ওই তেলেই সয়া সস, ভিনিগার, আদা বাটা, লংকাগুঁড়ো, লেবুর রস ও কাঁচালংকা দিন। ২-৩ বার নেড়ে চিকেন স্টক, চিনি ও আজিনামোটো দিন। ২ মিনিট ফুটবে, এবার পেঁয়াজ ও ক্যাপসিকাম দিয়ে আরও ২ মিনিট ফুটিয়ে কর্নফ্লাওয়ার সামান্য জলে গুলে ঢালুন। সমানে নাড়বেন। একটু চেখে দেখুন, দরকার হলে নুন দেবেন। বেশ গাঢ় হলে ডিমের টুকরো দিয়ে হালকা করে মিশিয়ে নামান।

স্টাফড এগ

স্টার্টার হিসেবেও চলে, আবার পুরো মেনুতেও দেওয়া যাবে।

উপকরণ: ৪টি বড় সেদ্ধ ডিম, ১০০ গ্রাম টিনের টুনামাছ, ১ টেবিল চামচ লেবুর রস, ১৫০ মিলি মেয়োনেজ, নুন ও মরিচ রুচিমতো, লেটুস পাতা ও পার্সলি কুচি।

প্রণালী: ডিম লম্বায় ২ টুকরো করে কেটে নিতে হবে। মাছ টিন থেকে বার করে চটকে নিন। ডিমের কুসুমগুলি বার করে নিন।

ব্লেন্ডারে সেদ্ধ কুসুম, চটকানো মাছ, লেবুর রস, মেয়োনেজ, নুন ও মরিচ একসঙ্গে মিশিয়ে নিন। হাতে চটকানোও চলবে।

ডিমের সাদার ওপর এই মিশ্রণ সমানভাবে সাজিয়ে দিন। ওপরে একটু পার্সলি কুচি ছড়িয়ে দেবেন।

লেটুস পাতার ওপর রেখে পরিবেশন করুন। ঠান্ডা খেতেও খুব ভাল লাগে।

তরি-তরকারি

সহজ পোলাউ

নিজের জন্য হলেও মাঝেমধ্যে ভালমন্দ খেতে তো ইচ্ছে করেই। সেইজন্যই এই রেসিপি।

উপকরণ: ১/২ কেজি গোবিন্দভোগ চাল, ১ টেবিল চামচ ঘি, রুচিমতো নুন ও চিনি, ১/২ চা চামচ গুঁড়ো গরমমশলা, ১৫টি কাজুবাদাম আধখানা করা, ২৫টি কিশমিশ, ১/২ চা চামচ হলুদ, ২ টেবিল চামচ সাদা তেল, আস্ত গরম মশলা, ৪টি তেজপাতা।

প্রণালী: চাল ধুয়ে শুকিয়ে নিতে হবে। সবচেয়ে ভাল হয় যদি চাল বেছে ভেজা কাপড়ে মুছে নেওয়া যায়।

চাল, ঘি, নুন, চিনি, গরমমশলা গুঁড়ো, কাজু, কিশমিশ ও হলুদ সব একসঙ্গে মেখে রাখুন।

ডেকচিতে তেল গরম করে থেঁতো করা গরমমশলা ও তেজপাতা ফোড়ন দিন। ফোড়ন হলে চালের দ্বিগুণ জল, অর্থাৎ ১ লিটার জল দিন। ফুটে উঠলে মশলামাখা চাল দিয়ে নেড়ে দিন ভাল করে।

ফুটে উঠলে ঢাকা দিয়ে আঁচ কমান। জল মরে ভাতের ওপর ফুটো ফুটো

দেখা দিলে দমে বসান। অর্থাৎ পোলাউয়ের ডেকচি একটি ফুটন্ত জলের পাত্রের ওপর বসান। চাল পুরোপুরি সেদ্ধ হলে নামাবেন।

শেষে আরও কাজু ও কিশমিশ দিয়ে সাজিয়ে দেবেন।

পাঁপড়ের সবজি

এটি রাজস্থানী রান্না। ওখানে বেশিরভাগ রান্নাই ঘিয়ে হয়। আপনারা সাদা তেল নিশ্চয়ই ব্যবহার করতে পারেন। তবে স্বাদের জন্য ১ চামচ ঘি দিয়ে দেবেন। আর এ ধরনের পদ বর্ষাকালে ভারী কাজে দেয়। বৃষ্টির জন্য বাজারে যাওয়া যাচ্ছে না। বাড়িতে পাঁপড় থাকলেই আর কোনও চিন্তা নেই।

উপকরণ: ৪টি পাঁপড়, ২ টেবিল চামচ ঘি, ১ চা চামচ জিরে, ১ চা চামচ হলুদ, ১ চা চামচ ধনেগুঁড়ো, ১ চা চামচ লংকাগুঁড়ো, ২টি কাঁচালংকা, কুচোনো, ২ চা চামচ কোরানো আদা, ৩/৪ কাপ গাঢ় টক দই, ফেটানো রুচিমতো নুন, ১ কাপ ধনেপাতা কুচি।

প্রণালী: এর জন্য একটু মোটা মশলাদার পাঁপড় চাই। পাঁপড় বড় বড় টুকরোয় ভেজে সামান্য তেল মাখিয়ে সেঁকে নিন বা বিনা তেলে মাইক্রোওয়েভে সেঁকে নিয়ে বড় টুকরোয় ভেঙে রাখুন।

ঘিয়ে জিরে ফোড়ন দিন। ফোড়ন চমকে উঠলে হলুদ, ধনে ও লংকা ২ টেবিল চামচ জলে গুলে ঢালুন। আঁচ কমিয়ে দেবেন। জল শুকোলে কাঁচালংকা ও আদা দিয়ে নাড়ুন। সুগন্ধ বেরোলে টকদই ও নুন দিয়ে নাড়ুন। এবার আঁচ বাড়ান।

বেশ তেলছাড়া মতো হলে ১ কাপ জল দিয়ে ২-৩ মিনিট ফোটান, এবার

পাঁপড় দিয়ে আরও ২-৩ মিনিট হতে দিন। শেষে ধনেপাতাকুচি দিয়ে মিনিটখানেক রেখে নামান।

পনির ছল্লি

উপকরণ: ২০০ গ্রাম পনির, ২ টেবিল চামচ সাদা তেল, ১ চা চামচ জিরে, ১ চা চামচ কোরানো আদা, ২টি কাঁচালংকা কুচোনো, ৩ টেবিল চামচ কাজুবাটা, ১ কাপ দুধ, রুচিমতো নুন, ১/২ চা চামচ বড় এলাচের দানা, ১/২ কাপ সেদ্ধ ভুট্টার দানা।

সাজাবার জন্য: ৪টি চেরা কাঁচালংকা, ১/৪ কাপ কোরানো পনির, ৬টি কাজুবাদাম।

পনির গ্রেটারের বড় ফুটো দিয়ে মোটা মোটা করে কুরিয়ে নিতে হবে।

প্রণালী: কড়ায় তেল গরম করে জিরে, আদা ও কাঁচালংকা ফোড়ন দিন। ফোড়নের সুগন্ধ বেরোলে কাজুবাটা দিয়ে জল ছিটিয়ে ভাজুন সামান্য। এবার দুধ দিয়ে নাড়তে থাকুন।

ফুটে উঠলে আঁচ কমিয়ে নুন ও এলাচ দিয়ে হতে দিন। গ্রেভি কতকটা গাঢ় হলে ১/৪ কাপ জল দিন। নাড়তে থাকুন সমানে। শেষে কোরানো পনির ও ভুট্টা দিয়ে ৫ মিনিট মাঝারি আঁচে ফুটতে দিন। একটু ঝোল থাকবে।

নামিয়ে কাঁচালঙ্কা, কোরানো পনির ও কাজুবাদাম দিয়ে সাজিয়ে খেতে দিন।

ভুট্টার বদলে সেদ্ধ মটরশুঁটি বা কাঁচা সবুজ ছোলাও ব্যবহার করা যেতে পারে।

আলু আচারি

ছোট আলু না পেলে বড় আলু টুকরো করে নেবেন।

উপকরণ: ২ টেবিল চামচ সরষের তেল, এক টিপ হিং, ১ চা চামচ জিরে, ১ চা চামচ রাই, ১ চা চামচ মৌরি, $^{১}/_{২}$ চা চামচ মেথি, $^{১}/_{৩}$ কাপ টম্যাটো পিউরি, রুচিমতো নুন, $^{১}/_{২}$ চা চামচ হলুদ, ১ চা চামচ আদা-রসুনবাটা, ১ চা চামচ কুচোনো কাঁচালংকা, ১ চা চামচ কাশ্মীরি লংকাগুঁড়ো, ২০টি ছোট আস্ত আলু সেদ্ধ, ২ টেবিল চামচ পাঁচমিশেলি আচার, টুকরো করা, $^{১}/_{২}$ কাপ ধনেপাতাকুচি, ১ চা চামচ কসুরি মেথি।

প্রণালী: কড়ায় তেল গরম করে হিং, জিরে, রাই, মৌরি ও মেথি ফোড়ন দিন। ফোড়ন চমকে উঠলে টম্যাটো পিউরি, নুন, হলুদ, আদা-রসুনবাটা, কাঁচালংকা ও লংকাগুঁড়ো দিয়ে ভাজুন কম আঁচে।

একটু জল ছিটিয়ে ভাজবেন, তেল মশলা আলাদা হলে সেদ্ধ আলু দিয়ে ২-৩ মিনিট নাড়ুন। এবার কুচোনো আচার ও ধনেপাতা দিয়ে একটু জলের ছিটে দিয়ে ঢাকুন ৫ মিনিট।

এবার ঢাকা খুলে গ্যাস বন্ধ করে কসুরি মেথি দিয়ে ১০ মিনিট ঢেকে রাখুন।

বেনারসি আমের কড়ি

নোনতা বোঁদে কিনতে পাওয়া যায়।

উপকরণ: ১ টেবিল চামচ বেসন, ২০০ মিলি টক দই, ১ টেবিল চামচ

সাদা তেল, ১ টেবিল চামচ ঘি, ১ ছড়া কারিপাতা, ৩টি ছোট এলাচ, ১ চা চামচ জিরে, ১/২ চা চামচ সরষে, ৪টি কাঁচালংকা কুচোনো, ৩/৪ কাপ বেসনের নোনতা বোঁদে, ২ কাপ পাকা আমের রস, রুচিমতো নুন ও চিনি, ১/২ কাপ ধনেপাতাকুচি।

প্রণালী: বেসন শুকনো খোলায় ভেজে তুলে রাখুন। টক দই ও বেসন একসঙ্গে ফেটিয়ে রাখুন।

কড়ায় তেল ও ঘি একসঙ্গে গরম করে কারিপাতা, ছোট এলাচ, জিরে, সরষে ও কাঁচালংকা ফোড়ন দিন। ফোড়ন ভালভাবে ভাজা হলে দইয়ের মিশ্রণ দিয়ে নাড়তে থাকুন, এক কাপ জলও দেবেন এইসঙ্গে। মাঝারি আঁচে ১০ মিনিট ফুটবে।

এবার নোনতা বোঁদে, আমের রস, নুন ও চিনি মিশিয়ে ১০ মিনিট হতে দিন। প্রয়োজনে আরও জল দেবেন আর ভালভাবে নাড়তে হবে। মাঝারি গাঢ় হবে। শেষে ধনেপাতাকুচি ছড়িয়ে নামান।

ভাত অথবা খিচুড়ির সঙ্গে ভাল লাগে।

বাঁধাকপির সাদা তরকারি

উপকরণ: ১টি মাঝারি বাঁধাকপি, ১/৪ কাপ ছাড়ানো মটরশুঁটি, ২ চা চামচ ময়দা, ১/৪ কাপ দুধ, রুচিমতো নুন, ২ টেবিল চামচ সাদা তেল, ১ চা চামচ ঘি, ১/২ চা চামচ কালোজিরে, ২টি তেজপাতা, ২টি ছোট এলাচ, ২টি লবঙ্গ, ২ টুকরো দারচিনি।

প্রণালী: বাঁধাকপির বাইরের শক্ত দু'-চারটি পাতা ফেলে দিয়ে বাকিটুকু

কুচিয়ে নিতে হবে। কুচোনো বাঁধাকপি ও নুন দিয়ে প্রেশার কুকারে ৪ মিনিট ভাপিয়ে নিন। জল দেবার দরকার নেই।

কড়াতে তেল ও ঘি একসঙ্গে গরম করে কালোজিরে ও আস্ত গরমমশলা ফোড়ন দিন। ফোড়ন হলে সেদ্ধ বাঁধাকপি ও মটরশুঁটি ঢালুন। প্রয়োজনে আরও নুন ও ইচ্ছে হলে ১ চামচ চিনি দিতে পারেন।

তেজ আঁচে ফুটতে দিন। জল অনেকটা শুকোলে দুধ দিন। ভাল করে নেড়ে আরও মিনিট দুয়েক ফুটিয়ে নামান।

সবজিটি একেবারে সাদাটে দেখতে হবে।

মটরশুঁটি ও মাখানা কারি

মাখানা হল পদ্মফুলের বিচি। সমগ্র উত্তর ভারতে এর বহুল ব্যবহার। বাঙালিরা বড় একটা খান না। রেঁধে দেখুন, ভাল লাগবেই, নতুনত্বও হবে।

উপকরণ: ২ কাপ মাখানা, ১ কাপ ছাড়ানো মটরশুঁটি সেদ্ধ করা, ৪টি বড় টম্যাটোর পিউরি অথবা ১/৩ কাপ টক দই, ২টি পেঁয়াজ কোরানো, ১ ১/২ চা চামচ কুচোনো আদা, ২টি কাঁচালংকা কুচোনো, ১/৪ চা চামচ হলুদ, ২ চা চামচ ধনেগুঁড়ো, ১/২ চা চামচ গরম মশলার গুঁড়ো, ৫ টেবিল চামচ সাদা তেল, রুচিমতো নুন।

প্রণালী: ৩ টেবিল চামচ তেলে মাখানা ভেজে তুলে রাখুন। মাখানায় হালকা রং ধরা চাই।

ওতেই বাকি তেল দিয়ে পেঁয়াজ ছাড়ুন। নাড়তে থাকুন, পেঁয়াজ গোলাপিমতো হলে আদা, কাঁচালংকা, হলুদ ও ধনেগুঁড়ো দিন।

একটু নেড়ে টম্যাটো পিউরি বা ফেটানো টক দই, সেদ্ধ মটরশুঁটি ও নুন দিন। ফুটে উঠলে মাখানা দিয়ে ৩ মিনিট হতে দিন। এবার গরম মশলা দিয়ে আরও ২ মিনিট রেখে নামান।

একইভাবে মাশরুম ও মটরশুঁটি রাঁধা যাবে। মাশরুম চার টুকরোয় কেটে সাঁতলে নেবেন। নুন দিয়ে ঢেকে দিলে নিজের জলেই মাশরুম সেদ্ধ হয়ে যাবে।

ক্যাপসিকাম ও টম্যাটো দিয়ে কড়ায়ের ডাল

আমার মেয়ের অত্যন্ত পছন্দের রান্না। খুবই স্বাস্থ্যকর; রোজ সকালে ১ বাটি খেতে পারলে ত্বক থাকে ভাল।

উপকরণ: ১ কাপ খোসাছাড়া কিন্তু আস্ত কড়ায়ের ডাল, ১টি বড় ক্যাপসিকাম, ১টি বড় টম্যাটো, ১$^{১}/_{২}$ চা চামচ কোরানো আদা, ২টি কাঁচালংকা কুচোনো, রুচিমতো নুন, ১ টেবিল চামচ সাদা তেল।

প্রণালী: কড়ায়ের ডাল ধুয়ে কুকারে ৪ কাপ জল দিয়ে ৭ মিনিট সেদ্ধ করুন। কুকার নিজে থেকে ঠান্ডা হতে দিন। ইতিমধ্যে ক্যাপসিকাম ও টম্যাটো ছোট ছোট টুকরোয় কেটে নিন। ক্যাপসিকামের বিচি ইচ্ছে হলে বাদ দিতে পারেন।

কড়ায় তেলটুকু গরম করুন। আদা ও কাঁচালংকা ফোড়ন দিন। ফোড়নের সুগন্ধ বেরোলে ক্যাপসিকাম ও টম্যাটোকুচি দিয়ে মিনিটখানেক নাড়ুন।

এবার সেদ্ধ ডাল ও নুন দিয়ে তেজ আঁচে ৫ মিনিট ফোটান। ডাল মাঝারি গাঢ় হবে।

ভাতের সঙ্গে পরিবেশন করুন। সঙ্গে যে কোনও ভাজা দিলে পুরো খাওয়াই হয়ে যায়।

আমের কারি

দুর্গাষষ্ঠীর দিন বেশিরভাগ বাড়িতেই, বিশেষত মেয়েরা নিরামিষ খান। সেদিনের জন্য খুব সঠিক এই রান্নাটি। লুচি, পরোটা সবের সঙ্গেই ভাল লাগে।

উপকরণ: ১/২ কাপ সেদ্ধ লোবিয়া (না দিলেও চলে), ১টি মাঝারি আলু, ৪টি পটল, ২০০ গ্রাম কুমড়ো, ১ কাপ ছাড়ানো মটরশুঁটি, ১টি ছোট কাঁচা আম, ২ টেবিল চামচ সাদা তেল, ১ চা চামচ পাঁচফোড়ন, ২টি শুকনো লংকা, ১ চা চামচ জিরেগুঁড়ো, ১ চা চামচ ধনেগুঁড়ো, ১/২ চা চামচ হলুদ, ১ মুঠো কিশমিশ, ১ চা চামচ চিনি, রুচিমতো নুন, ১ চা চামচ আদাবাটা, ১ চা চামচ আমআদাবাটা।

প্রণালী: লোবিয়া যদি ব্যবহার করেন তো একরাত ভিজিয়ে কুকারে দশ মিনিট সেদ্ধ করে নেবেন। সব তরকারি ছোট ডুমো করে কেটে নুনজলে সেদ্ধ করে নিতে হবে। কাঁচা আম কুরিয়ে নেবেন।

তেলে পাঁচফোড়ন ও শুকনো লংকা ছিঁড়ে ফোড়ন দিন। তারপর কোরানো কাঁচা আম দিয়ে নাড়ুন। কম আঁচে ভাজুন। একটু নরম হলে সেদ্ধ সবজি জল ঝরিয়ে দিন। সেইসঙ্গে লোবিয়া, জিরে, ধনে, লংকা, হলুদ, কিশমিশ, চিনি ও নুন দিতে হবে। জল ছিটিয়ে কষুন।

তেল ছাড়া হলে শেষে আদাবাটা ও আমআদাবাটা দিয়ে সামান্য জল দিয়ে ঢাকা দিন। সব সবজি সুসিদ্ধ হয়ে গা মাখা হলে নামান।

১৫৪

কাঁচা কুমড়োর টক তরকারি

এই সবজিটি যে কোনও পরটা, বিশেষ করে পুরভরা পরটার সঙ্গে খেতে ভারী ভাল লাগে। শীতকালে জমে বেশি। সাধারণ হাতে গড়া রুটির সঙ্গেও দারুণ।

উপকরণ: ১ কেজি কাঁচা কুমড়ো, ২ টেবিল চামচ সরষের তেল অথবা সাদা তেল, ১ টেবিল চামচ মেথি, $^1/_2$ চা চামচ হলুদ, $^1/_2$ চা চামচ লংকাগুঁড়ো, ১ চা চামচ ধনেগুঁড়ো, ১ চা চামচ জিরে গুঁড়ো, রুচিমতো নুন, ১ চা চামচ চিনি, ১ টেবিল চামচ আমচুর।

প্রণালী: কুমড়োর বিচি বাদ দিন, কিন্তু খোসা ছাড়াবেন না। বড় বড় টুকরোয় কাটুন। ১ কাপ জল দিয়ে কুকারে ৪ মিনিট সেদ্ধ করুন। ছেঁকে নিয়ে জলটুকু রেখে দিন।

কড়ায় তেল গরম করে মেথি ফোড়ন দিন, ফোড়নের গন্ধ বেরোলে (অনেকে মেথি কালো হলে তুলে ফেলে দেন, এতে গন্ধ থাকে কিন্তু মুখে তেতো লাগে না) কুমড়ো ও আমচুর ছাড়া বাকি সব উপকরণ দিন।

ভাল করে নাড়াচাড়া করে পৌনে এককাপ কুমড়ো সেদ্ধর জল দিন। নাড়ুন, কুমড়ো ঘেঁটে যেতে পারে। বেশ গাঢ় হবে সবজি। শেষে আমচুর দিন। ভাল করে সব মিশলে নামান।

মাইক্রোওয়েভে রান্না

পুদিনা মাছ

মাইক্রোওয়েভে বেশিক্ষণ রান্না করলে মাছ, ছিবড়ে মতো হয়ে যায়। তাই সময়ের বেশি রাখবেন না।

উপকরণ: $^{১}/_{২}$ কেজি যে কোনও পাকা মাছ ৬ টুকরোয় কাটা, ১ চা চামচ আদাবাটা, ১ চা চামচ রসুনবাটা, ৩টি কাঁচালংকা কুচোনো, রুচিমতো নুন, ২ চা চামচ লেবুর রস, $^{১}/_{২}$ চা চামচ জোয়ান, $^{১}/_{২}$ চা চামচ মরিচগুঁড়ো।

সস: ৪ টেবিল চামচ মিহি কুচোনো ধনেপাতা, ২০টি পুদিনাপাতাকুচি, ২ চা চামচ লেবুর রস, $^{১}/_{২}$ চা চামচ নুন, $^{১}/_{২}$ কাপ জল, ১ চা চামচ কর্নফ্লাওয়ার, $^{১}/_{৪}$ কাপ জলে গোলা।

প্রণালী: মাছের সঙ্গে বাকি সব উপকরণ মিশিয়ে ভাল করে ঘযে ঘযে মাখিয়ে নিন। এমন একটি পাত্র নিন যাতে মাছের টুকরোগুলি পাশাপাশি রাখা যায়। ২ মিনিট মাইক্রো-হাই করুন। মাছ উলটে নিয়ে আরও ২ মিনিট রান্না করুন। মাছ তুলে রাখুন।

ওই পাত্রেই (কিছু ঝোল থাকতে পারে) সসের সব উপকরণ মেশান। ২ মিনিট হাই পাওয়ারে রাখুন। মধ্যে একবার নেড়ে দেবেন।

এবার মাছ দিয়ে উলটেপালটে দিন যাতে মাছের গায়ে সব সস মেখে যায়। ২ মিনিট মাইক্রোওয়েভ করুন হাই পাওয়ারে। গরম গরম খেতে দিন।

একইভাবে চিংড়িমাছ বা পনির রাঁধা যাবে।

মাছের রেজালা

যারা কাঁচা মাছ খেতে চান না, মাছে শুধু নুন মাখিয়ে খুব হালকা সাঁতলে নেবেন। এটি আঁচে করতে হবে। আমি অবশ্য কাঁচা মাছেই রাঁধি— একটুও গন্ধ থাকে না।

উপকরণ: ৬টি বড় টুকরো রুই বা কাতলা মাছ, ১/৩ কাপ ফেটানো টক দই, ১০টি সা-মরিচ, ১ চা চামচ আদাবাটা, ২ টেবিল চামচ সেদ্ধ পেঁয়াজবাটা, ২ টেবিল চামচ ঘি, ২টি লবঙ্গ, ২টি ছোট এলাচ, ২টি পাপড়ি জয়িত্রী, ১/২ চা চামচ কোরানো জায়ফল, ২টি তেজপাতা, ৪টি শুকনো লংকা, রুচিমতো নুন, ১ চা চামচ চিনি, ২ টেবিল চামচ কাজুবাদামবাটা, ১ চা চামচ পোস্তবাটা, ১ চা চামচ কেওড়ার জল।

প্রণালী: মাছ ধুয়ে জল একেবারে ঝরিয়ে নিতে হবে। টকদই, ক্রিম, মোটা করে গুঁড়োনো সা-মরিচ ও ১/২ চা চামচ আদাবাটা মাখিয়ে রাখুন। ৩০ মিনিট রাখলেই যথেষ্ট।

সেদ্ধ পেঁয়াজবাটার জন্য: ২টি মাঝারি পেঁয়াজ, ৪ টুকরোয় কেটে ১/২ কাপ জলে ২ মিনিট মাইক্রো করুন। জল ফেলে দিয়ে মিক্সিতে বেটে নিন।

একটি বোলে ঘি, আস্ত গরম মশলা, জায়ফল গুঁড়ো, তেজপাতা ও শুকনো লংকা দিয়ে ২ মিনিট হতে দিন। এবার সেদ্ধ পেঁয়াজবাটা, নুন, চিনি,

কাজু-পোস্তবাটা ও বাকি আদাবাটা দিয়ে ২ মিনিট রান্না করুন।

বার করে মশলামাখা মাছ, এক কাপ জল ও কেওড়ার জল দিন। ঢাকা দিয়ে মিডিয়াম পাওয়ারে ৭-৮ মিনিট রান্না করুন। মধ্যে একবার উলটে দেবেন। নামিয়ে খেতে দিন।

গোস্ত হলদিঘাটি

মাইক্রোওয়েভে ঢাকা দিয়ে রান্না করার সময় একেবারে টাইট করে ঢাকা দিতে নেই। আর ক্লিং ফ্লিম (cling film) ব্যবহার করলে ওপরে কটা ফুটো করে দেবেন ভাপ বেরোবার জন্য।

উপকরণ: $^{১}/_{২}$ কেজি মাংস, $^{১}/_{২}$ কাপ টক দই, $^{১}/_{২}$ কাপ কাঁচা পেঁপের রস, $^{১}/_{২}$ চা চামচ আদাবাটা, $^{১}/_{২}$ চা চামচ রসুনবাটা।

গ্রেভি: ৪ টেবিল চামচ সাদা তেল, ২টি বড় পেঁয়াজ কুচোনো, ২টি তেজপাতা, ৩টি লবঙ্গ, ৩টি ছোট এলাচ, ২ সেমি দারচিনি, $^{১}/_{৪}$ কাপ টম্যাটো পিউরি, ১ চা চামচ আদাবাটা, ১ চা চামচ রসুনবাটা, ৩ টেবিল চামচ কাজুবাদামবাটা, ১ টেবিল চামচ পোস্তবাটা, $^{১}/_{২}$ চা চামচ হলুদ, ১ চা চামচ কাশ্মীরি লংকাবাটা, ১ চা চামচ ধনেগুঁড়ো, ১ চা চামচ জিরেগুঁড়ো, রুচিমতো নুন, ১ চা চামচ চিনি, $^{১}/_{২}$ কাপ ক্রিম, $^{১}/_{২}$ চা চামচ গুঁড়ো গরম মশলা, একমুঠো ধনেপাতাকুচি।

প্রণালী: মাংসে সব মশলা মাখিয়ে রাখুন ৪ ঘণ্টা।

গ্রেভি: একটি মাইক্রোপ্রুফ বাটিতে ২ টেবিল চামচ তেল, পেঁয়াজ, তেজপাতা ও সব আস্ত গরমমশলা সামান্য থেঁতো করা দিয়ে ৬ মিনিট

মাইক্রো করুন। পেঁয়াজ লালচে হবে। মধ্যে নাড়বেন একবার। একটু ঠান্ডা হলে যতটা সম্ভব তেল ছেঁকে মশলা তুলে নিয়ে তেজপাতা ফেলে দিন। বাকি মশলা বেটে নিন।

ওই বাটিতেই বাকি তেল দিয়ে টম্যাটো পিউরি, আদা-রসুনবাটা, কাজু-পোস্তবাটা, হলুদ, লংকা, ধনে ও জিরে দিয়ে ২ মিনিট হতে দিন।

বার করে ভাজা পেঁয়াজবাটা, মশলামাখা মাংস, ১/২ কাপ জল, নুন ও চিনি মেশান। ঢাকা দিয়ে ৫ মিনিট রাঁধুন। মধ্যে ১ বার নাড়বেন।

বার করে ক্রিম মেশান। এবার মাইক্রো-মিডিয়াম পাওয়ারে ৮ মিনিট রান্না করুন। মধ্যে ২ বার নাড়তে হবে।

বার করে শেষে গুঁড়ো গরম মশলা ও ধনেপাতাকুচি ছড়িয়ে খেতে দিন।

শেফার্ডস পাই

এই রান্নাটি মাইক্রোওয়েভ আভেনের কনভেকশন মোডে (convection mode) হবে। যাঁদের এই সুবিধে নেই তারা O.T.G.-তে বেক করতে পারবেন।

উপকরণ: ১ টেবিল চামচ মাখন বা সাদা তেল, ১টি বড় পেঁয়াজ কুচোনো, ৪ কোয়া রসুনকুচি, ১/২ কাপ সেদ্ধ ভুট্টার দানা, ১/২ কাপ সেদ্ধ মটরশুঁটি, ১টি ক্যাপসিকাম, কুচোনো, ১টি গাজর কুচোনো, ১ চা চামচ সয়াসস, ১ চা চামচ টম্যাটো কেচাপ, ১ চা চামচ ওয়ার্স্টারসস, নুন ও মরিচ রুচিমতো, ১/২ কেজি কিমা।

টপিং: ২০০ গ্রাম আলু, ২ টেবিল চামচ মাখন, ১/২ কাপ দুধ, সামান্য নুন ও মরিচ।

প্রণালী: মাইক্রোপ্রুফ বোলে মাখন দিয়ে ৩০ সেকেন্ড গরম করুন হাই পাওয়ারে। তারপর পেঁয়াজ ও রসুন দিয়ে ২ মিনিট রান্না করুন। এবার সসেজ দিয়ে ৮-৯ মিনিট রাখুন।

এবার কিমা ও তিন রকমের সস মেশান। ঢাকা দিয়ে মিডিয়াম পাওয়ারে ৫-৭ মিনিট রান্না করুন। তারপর ৫ মিনিট ওইভাবে রেখে দিন।

মাইক্রোআভেনের কনভেকশন মোডে ২০০° সে. উত্তাপে গরম করে নিন।

মাঝারি আকারের আলু ধুয়ে কটি করে ফুটো করে নিন। ৬-৭ মিনিট হাই পাওয়ারে রাখুন। আলুগুলি সরাসরি টার্নটেবিলের ওপর রাখতে হবে।

আলুর খোসা ছাড়িয়ে চটকে, দুধ, ময়দা ও নুন ও মরিচ মেখে নিন।

একটি পাইডিশের নীচে কিমার মিশ্রণ সমানভাবে ছড়িয়ে রাখুন। ওপরে আলুমাখা দিয়ে পুরোপুরি ঢেকে দিন।

বেক করুন ১০-১৫ মিনিট। ছোট র্যাক ব্যবহার করবেন। ওপরটি সোনালি হবে। কেটে কেটে খেতে দিন।

সঙ্গে একটি সুপ অথবা স্যালাড থাকলে ভরপেট ডিনার হয়ে যাবে।

থাই রেড কারি

আজকাল তৈরি নারকোল দুধ টেট্রাপ্যাকে কিনতে পাওয়া যায়।

উপকরণ: ২ চা চামচ সাদা তেল, ১$^১/_২$ টেবিল চামচ রেড কারি পেস্ট, উঁচু করে মাপা, ৩৫০ গ্রাম চিকেন, ছোট টুকরোয় কাটা, ১ কাপ নারকোলের গাঢ় দুধ, $^১/_২$ কাপ চিকেন স্টক, রুচিমতো নুন, ১ টেবিল চামচ থাই ফিশ

সস, ২ চা চামচ চিনি, ২টি কাঁচালংকা চেরা, ১ চা চামচ লেবুর রস, ৪টি বেবিকর্ন ২ টুকরোয় কাটা, ৪টি বাটন মাশরুম ৪ টুকরোয় কাটা, ৮ টুকরো ব্রকোলি, ১ টেবিল চামচ কুচোনো বেসিল।

প্রণালী: একটি মাইক্রোপ্রুফ পাত্রে তেলটুকু ৩০ সেকেন্ড গরম করে কারিপেস্ট দিয়ে ২ মিনিট হাই পাওয়ারে রাখুন। মধ্যে ১ বার নাড়বেন।

এবার ওর মধ্যে চিকেন, নারকোলের দুধ, স্টক ও নুন দিয়ে ঢেকে মিডিয়াম পাওয়ারে ১০-১২ মিনিট রাখুন। মাঝে ২ বার নাড়বেন।

এবার ফিশ সস, চিনি, কাঁচালংকা, লেবুর রস, সব সবজি ও বেসিলপাতা দিয়ে ঢাকা দিন। মাঝারি পাওয়ারে ৫ মিনিট রান্না করুন। তারপর আভেন বন্ধ করে ওইভাবেই রেখে দিন আরও ৫ মিনিট।

ভাত বা নুডলসের সঙ্গে খেতে দিন।

স্প্যানিশ পোলাউ

মাইক্রোওয়েভে ভাত রাঁধতে হলে চাল ভিজিয়ে রাখা খুব দরকার। আধঘণ্টা ভেজালেই হবে।

উপকরণ: ১ কাপ বাসমতি চাল, ১/২ কাপ ছাড়ানো কুচো চিংড়ি, ৮ টুকরো মাছের কাঁটা ছাড়া টুকরো, ২টি বড় সসেজ টুকরো করা, ১ টেবিল চামচ মাখন, রুচিমতো নুন, ৩ টেবিল চামচ অলিভ অয়েল বা সাদা তেল, ৩/৪ কাপ ছাড়ানো মটরশুঁটি, ১/২ চা চামচ আদাকুচি, ১ চা চামচ মরিচগুঁড়ো, ১ কাপ সেদ্ধ চিকেন কুচোনো, ১ কাপ ক্যাপসিকামের টুকরো (তিন রঙের হলেই ভাল), ১/২ কাপ পেঁয়াজকুচি।

প্রণালী: চাল ধুয়ে ৩০ মিনিট ভিজিয়ে রেখে ২ কাপ জলে ১০-১২ মিনিট মাইক্রো-হাই করুন। তৈরি ভাত আলাদা রাখুন।

চিংড়ি, মাছের টুকরো, সসেজ, মাখন ও ১ টিপ নুন একসঙ্গে মিশিয়ে একটি মাইক্রোপ্রুফ বোলে রেখে ৩ মিনিট রান্না করুন হাই পাওয়ারে। আলাদা রাখুন।

আলাদাভাবে অলিভ অয়েল বা সাদা তেল, মটরশুঁটি, রসুন, চিকেন, ক্যাপসিকাম, পেঁয়াজ ও নুন মেশান। মাইক্রোপ্রুফ বোলে ঢেলে ৩ মিনিট রান্না করুন। আলাদা রাখুন।

একটি বড় বোলে চিংড়িমাছ ও চিকেনের মিশ্রণ একসঙ্গে মেশান। শেষে তৈরি ভাত মেশাতে হবে। পুরোটি হাই পাওয়ারে ৩ মিনিট রাখুন।

স্যালাডের সঙ্গে খেতে দিন।

পনির কালিমির্চ

বিশেষ করে বাজার থেকে কেনা পনির প্রথমে জলে ১ মিনিট মাইক্রো-হাই করে নিলে খুব নরম থাকে।

উপকরণ: ২০০ গ্রাম পনির, ২ চা চামচ সাদা তেল, ৪ টেবিল চামচ ক্রিম, ৩ টেবিল চামচ দুধ, রুচিমতো নুন।

একসঙ্গে সামান্য মোটা করে বাটুন: ১/২ কাপ কুচোনো পেঁয়াজ, ৩ টেবিল চামচ কুচোনো কাজুবাদাম, ১/২ চা চামচ রসুনকুচি, ১/২ চা চামচ আদাকুচি, ২ চা চামচ আস্ত গোলমরিচ।

প্রণালী: মাইক্রোপ্রুফ বোলে তেল ও বাটা মশলা একসঙ্গে মিশিয়ে নিন। ২ মিনিট মাইক্রো হাই করুন।

এবার তার সঙ্গে ক্রিম, দুধ ও নুন মিশিয়ে ৩০ সেকেন্ড আরও রান্না করুন। বার করে পনির মিশিয়ে আরও ১ মিনিট হতে দিতে হবে।

ওপরে ক্রিম ছড়িয়ে পরিবেশন করুন।

দরবারি কোর্মা

টুকরো করা সবজি একটি বোলে রেখে ১ টেবিল চামচ জল দিয়ে মাইক্রো হাই করুন ৩ মিনিট। ওতেই সবজি সেদ্ধ হয়ে যাবে।

উপকরণ: ১ কাপ সেদ্ধ করা সবজি, ১/২ কাপ পনিরের ছোট টুকরো, ১ টেবিল চামচ পেঁয়াজবাটা, ১/২ চা চামচ আদা, রসুনবাটা, ১/৪ চা চামচ হলুদ, ১/৪ চা চামচ লংকাগুঁড়ো, ১/২ চা চামচ ধনেগুঁড়ো, ১ টেবিল চামচ টম্যাটো পিউরি, ১/২ কাপ দুধ, ২ টেবিল চামচ ক্রিম, ২ চা চামচ সাদা তেল, রুচিমতো।

প্রণালী: সবজি বলতে গাজর, বিন, মটরশুঁটি ও ফুলকপি। একটি বাটিতে পনির, ১/২ কাপ জল ও ১/২ চা চামচ নুন দিয়ে ১ মিনিট রান্না করুন। আলাদা রাখুন।

আর একটি বোলে তেল, পেঁয়াজ ও আদা-রসুনবাটা মেশান। ঢাকা দিয়ে আবার ১ মিনিট হতে দিন। বার করে সব গুঁড়ো মশলা ও টম্যাটো পিউরি মিশিয়ে ৩০ সেকেন্ড হাই পাওয়ারে রাঁধুন।

এবার সেদ্ধ সবজি, দুধ, অর্ধেক ক্রিম, জল ঝরানো পনির ও নুন মেশান। মাইক্রো হাই করুন ১ মিনিট।

বার করে বাকি ক্রিম ছড়িয়ে যেতে দিন।

এভরিডে পুডিং

এই পুডিং কনভেকশন মোডে (Convection mode) করতে হবে। ১৮০° সে. তাপমাত্রায় আগে থেকে আভেন গরম করে নেবেন।

উপকরণ: ১ কাপ শুকনো ফল, ১০০ গ্রাম ময়দা, ১ চা চামচ বেকিং পাউডার, ১০০ গ্রাম সাদা মাখন, ১০০ গ্রাম গুঁড়ো চিনি, ২টি ডিম, ১ চা চামচ ভ্যানিলা এসেন্স, ২ টেবিল চামচ জল।

শুকনো ফল বলতে কাজুবাদাম, কিশমিশ, চেরি, খোসার মোরব্বা ও টুটিফ্রুটি।

প্রণালী: ময়দা ও বেকিং পাউডার একসঙ্গে চেলে নিতে হবে। মাখন ও চিনি একটি বড় বাটিতে একসঙ্গে ফেটান। বেশ ফুলে উঠলে একটি একটি করে ডিম দিয়ে ফেটিয়ে নিন, ভ্যানিলা ও ড্রাই ফ্রুট কুচোনো মেশান।

একটি ৮ ইঞ্চি মোল্ডে তেল মাখিয়ে নিন। ব্যাটার ঢেলে বেক করুন ২০-২৫ মিনিট।

সঙ্গে কাস্টার্ড সস দেবেন।

সুজির হালুয়া

মাইক্রোওয়েভে রান্না শেষ হয়ে যাবার পর সবসময় পাঁচ মিনিট ঢাকা দিয়ে রেখে দিতে হয়। এতে ওই গরমেই রান্নাটি পুরোপুরি শেষ হয়ে যায়। একেই বলে স্ট্যান্ডিং টাইম (Standing time)।

উপকরণ: ১ কাপ সুজি, ২ টেবিল চামচ ঘি, ১$^{১}/_{২}$ কাপ দুধ, ১ কাপ জল,

৪ টেবিল চামচ চিনি, ১৫টি কিশমিশ, ৮টি কাজুবাদাম টুকরো করা, ১ চা চামচ ছোট এলাচের গুঁড়ো।

প্রণালী: একটি মাইক্রোপ্রুফ বোলে সুজি ও ঘি একসঙ্গে দিয়ে হাই পাওয়ারে ৫ মিনিট হতে দিন; মধ্যে দুবার নাড়বেন। এর মধ্যেই সুজি লালচে হয়ে যাবে।

এরপর দুধ, জল, চিনি, কিশমিশ, কাজুবাদাম ও এলাচগুঁড়ো দিন।

এবার মিডিয়াম পাওয়ারে ৩ মিনিট রান্না করুন। মধ্যে একবার নাড়বেন।

স্ন্যাকস

চিকেন টিক্কা কাবাব

মাইক্রোওয়েভে, সাধারণ আভেন বা তন্দুরে রাঁধা যাবে। এসব কিছুই না থাকলে চাটুতে সামান্য তেলে সেঁকে সেঁকেও বানানো যেতে পারে।

উপকরণ: ১ কেজি চিকেনের হাড়ছাড়া বুকের অংশ, $^1/_4$ কাপ পাতিলেবুর রস, $^1/_4$ কাপ গাঢ় টক দই, $^1/_4$ চা চামচ রসুনবাটা, ১$^1/_2$ টেবিল চামচ ধনেগুঁড়ো, ২ টেবিল চামচ গলানো মাখন, ২ চা চামচ জিরেগুঁড়ো, ১ চা চামচ কাশ্মীরি লংকাগুঁড়ো, ১২টি কাঠের শিক, রুচিমতো নুন।

প্রণালী: চিকেন মোটা মোটা টুকরোয় কেটে নিতে হবে। চিকেন ধুয়ে শুকনো করে মুছে নেবেন। চিকেন লেবুর রস ও নুন দিয়ে ভিজিয়ে রাখুন ঘণ্টাখানেক।

আলাদা পাত্রে টকদই, রসুনবাটা, ধনে, জিরে ও লংকাগুঁড়ো একসঙ্গে ভালভাবে মিশিয়ে রাখুন। লেবুর রস থেকে চিকেন চিপে তুলে নিয়ে দই মাখিয়ে রেখে দিন ৩-৪ ঘণ্টা।

কাঠের শিক আগে থেকে জলে ভিজিয়ে রাখতে হবে। এবার ৬টি করে

চিকেনের টুকরো গেঁথে গলানো মাখন মাখিয়ে গ্রিল করুন। ঘুরিয়ে ঘুরিয়ে সেঁকুন। পাশগুলি একটু পোড়া পোড়া হতে পারে।

কিমার কাটলেট

কাঁচা কাটলেট তৈরি করে এবং গড়ে ফ্রিজে ২-৪ দিন রাখা যায়। যখন ইচ্ছে ভেজে খেলেই হল।

উপকরণ: ৪৫০ গ্রাম আলু, ৪৫০ গ্রাম চিকেন অথবা মাংসের কিমা, ৩টি ডিম, ১টি বড় পেঁয়াজ কোরানো, ২ টেবিল চামচ ধনেপাতাকুচি, ১ টেবিল চামচ মিহি কোরানো কাঁচা পেঁপে, ১ কাপ বা প্রয়োজনমতো শুকনো পাঁউরুটির গুঁড়ো, নুন ও মরিচ আন্দাজমতো, ২ টেবিল চামচ ওয়ার্স্টারশায়ার সস, ভাজবার জন্য সাদা তেল।

প্রণালী: আলু সেদ্ধ করে খোসা ছাড়িয়ে কুরিয়ে নিতে হবে। মাংসের কিমা হলে খুব মিহি চাই অথবা বাড়িতে আরও একবার ব্লেন্ড করে নিন। চিকেন কিমার ক্ষেত্রে কাঁচা পেঁপে না দিলেও হবে।

ডিম কটি ফেটিয়ে তার সঙ্গে পেঁয়াজ, ধনেপাতা, নুন, মরিচ ও ওয়ার্স্টারশায়ার সস মেশান। এবার তাতে আলু, কিমা ও কাঁচা পেঁপে মেশান। বেশ টাইট মাখা চাই। পাতলা মনে হলে শুকনো পাঁউরুটির গুঁড়ো মেশান।

এবার মাখা কিমা থেকে একটু করে নিয়ে পাতলা লম্বাটে আকারে গড়ে কিছু শুকনো পাঁউরুটির গুঁড়ো মাখিয়ে নিন।

ছাঁকা তেলে ভেজে তুলুন। সঙ্গে চাটনি ও স্যালাড থাকলে ভাল লাগে।

মাছ ভাজা

কোনো ঝামেলা নেই, অথচ খুবই সুস্বাদু। ফিলের বদলে ভেটকি, পমফ্রেট বা সুরমাই জাতীয় মাছের টুকরোও চলবে। তবে মাখনে ভাজা জরুরি।

উপকরণ: ৪টি মাছের মোটা বড় ফিলে বা টুকরো, ২-৩ টেবিল চামচ মাখন, নুন, টাটকা গুঁড়োনো গোলমরিচ, ও লেবুর রস দরকারমতো।

ককটেল সস: $^১/_২$ কাপ মেয়োনেজ, $^১/_৪$ কাপ টম্যাটো কেচাপ, ১ চা চামচ ক্যাপসিকো সস।

প্রণালী: নন-স্টিক স্কিলেটে মাখন গরম করে মাছ ছাড়ুন। ওপরে নুন ও বেশি করে মরিচগুঁড়ো ছড়ান। নীচের দিক সোনালি হলে উলটে আবার সামান্য নুন ও মরিচ ছড়ান। মাছ হলে নামান। বেশি কড়া করে ভাজবেন না। সেদ্ধ হলেই হল।

ওপরে লেবুর রস ছড়িয়ে ককটেল সসের সঙ্গে খেতে দিন।

ককটেল সস: সব উপকরণ একসঙ্গে মিশিয়ে নিন।

সঙ্গে কোনও স্যালাড থাকলে তো কথাই নেই। গারলিক ব্রেড ও মাখনের সঙ্গে হালকা ডিনার হয়ে যাবে।

মাছের পাটিসাপটা

আমাদের মিষ্টি পাটিসাপটা ও বিদেশের গ্যানকেকের সংমিশ্রণ এই রান্নাটি। এইভাবেই ফিউশন ফুড তৈরি হয়।

উপকরণ: খোল— ১ কাপ ময়দা, $^১/_২$ কাপ চালের গুঁড়ো, ১ টিপ খাবার

সোডা, $^{১}/_{২}$ চা চামচ চিলি ফ্লেক্স, $^{১}/_{২}$ চা চামচ নুন, ১টি ডিম, $^{১}/_{২}$ কাপ দুধ, ভাজার জন্য সামান্য সাদা তেল।

পুর: $^{১}/_{২}$ কেজি যে-কোনও বড় মাছ, ১ টেবিল চামচ সাদা তেল, ১ বড় পেঁয়াজ মিহি কুচোনো, ১ চা চামচ আদাবাটা, ১ চা চামচ রসুনবাটা, ১ চা চামচ কাঁচালংকাবাটা, ২ টেবিল চামচ কাজুবাদামকুচি, ২ টেবিল চামচ কিশমিশ, রুচিমতো নুন, ১ চা চামচ মরিচ গুঁড়ো, ১ চা চামচ চিনি।

প্রণালী: খোল— ময়দা, চালের গুঁড়ো, সোডা, চিলি ফ্লেক্স ও নুন একসঙ্গে মিশিয়ে নিতে হবে। এর সঙ্গে ফেটানো ডিম ও দুধ মেশান। প্রয়োজনমতো জল দিয়ে গোলা তৈরি করুন। পাটিসাপটার মতোই ঘন গোলা হবে।

পুর: মাছ সেদ্ধ করে কাঁটা বেছে রাখুন।

কড়ায় তেল গরম করে পেঁয়াজ ছাড়ুন। পেঁয়াজ নরম হলে আদা-রসুন-কাঁচালংকাবাটা দিয়ে ২ মিনিট ভাজুন। এবার মাছ, কাজু, কিশমিশ, নুন, মরিচ ও চিনি দিয়ে ভাল করে কষুন। সব বেশ মিলেমিশে গেলে চাট মশলা দিয়ে নামান।

নন-স্টিক চাটুতে সামান্য তেল মাখিয়ে ১ বড় হাতা গোলা ঢালুন, হাতা দিয়ে বেশ গোলাকারে ছড়িয়ে দিন। নীচের দিকটি সোনালি হলে উলটে ভাজুন। পাশ থেকে একটু তেল ছড়িয়ে দেবেন। দুদিকই সোনালি হওয়া চাই। এবার খানিকটা পুর ভরে অমলেটের মতো মুড়ে নামান।

সঙ্গে আনারদানার চাটনি দিন।

আনারদানার চাটনি: $^{১}/_{৪}$ কাপ শুকনো আনারদানা, $^{১}/_{৩}$ কাপ ভিনিগার, ২ টেবিল চামচ গুঁড়ো চিনি, ১ টিপ বিট নুন, $^{১}/_{৪}$ চা চামচ চিলি ফ্লেক্স, সাজাবার জন্য টাটকা বেদানার দানা।

আনারদানা ভিনিগারে ভিজিয়ে রাখুন ২-৪ ঘণ্টা। এরপর ভালভাবে বেটে নিন। বাকি সব উপকরণ মেশান, বেশি গাঢ় মনে হলে একটু জল মেশাবেন।

ওপরে টাটকা বেদানার দানা ছড়িয়ে দেবেন।

এতে সুইট চিলি সস বা আমসত্ত্ব মেশানো যেতে পারে।

ইডলি চাট

শুধু নিজের জন্য রান্না করার অসুবিধে এই যে প্রায়ই কিছু না কিছু বেঁচে যায়। তখন এই ভাবে রি-সাইক্লিং করুন।

উপকরণ: ২ টেবিল চামচ সাদা তেল, ৪টি ইডলি টুকরো করা, $^1/_2$ কাপ যে কোনও ফলের টুকরো, $^1/_2$ কাপ গাঢ় টক দই ফেটানো, ৩ টেবিল চামচ ধনেপাতার চাটনি, ১ চা চামচ চাট মশলা, $^1/_2$ কাপ সেও, $^1/_2$ কাপ পাপড়ি, ১টি ছোট পেঁয়াজ মিহি কুচোনো, ২ টেবিল চামচ ধনেপাতাকুচি, ১টি মাঝারি আলু সেদ্ধ, টুকরো করা।

প্রণালী: ফ্রাইংপ্যানে তেলটুকু গরম করে টুকরো করা ইডলি ও সেদ্ধ আলু ভাজুন। রং ধরলে নামান।

প্লেটে ভাজা ইডলি, আলু ও ফল সাজান। ফেটানো টকদই ও ধনেপাতার চাটনি একসঙ্গে মিশিয়ে ওপরে ঢালুন। সব যেন ভালভাবে ঢেকে যায়। চাট মশলা ছড়ান। শেষে সেও, ভাঙা পাপড়ি, ধনেপাতাকুচি ও পেঁয়াজকুচি (বাদ দিতে পারেন) ছড়িয়ে তখুনি খেতে দিন। দেরি হলে মিইয়ে যাবে।

ফলের টুকরো এক বা একাধিক হতে পারে যেমন, আঙুর, কলা, আনারস, কমলালেবু, কিউই ফল, বেদানা ইত্যাদি।

মেল্টিং ক্রেসেন্ট

ক্রঁজো ব্রেড না পেলে সাধারণ বান পাঁউরুটি দিয়েও চলবে।

উপকরণ: ১টি ক্রঁজো, ২টি সালামি, ১টি চিজ স্লাইস, টম্যাটো চাকা চাকা করে কাটা।

প্রণালী: ক্রঁজো মধ্যে থেকে চিরে নিন, কিন্তু একেবারে দু টুকরো করবেন না।

মধ্যে সালামি দুটি ভাঁজ করে ঢোকান। তার ওপর ভাঁজ করা চিজ স্লাইস।

গ্রিল করুন, ভালভাবে গরম হলেই হবে। সঙ্গে টম্যাটো বা অন্য স্যালাড দিয়ে খান।

ফালাফেল

আফ্রিকা ও মধ্যপ্রাচ্যের জনপ্রিয় স্ন্যাক। পিতা ব্রেডের মধ্যে দিয়ে স্যান্ডউইচের মতো খেলে পেট ভরা খাওয়া হয়ে যায়। অথবা দইয়ের যে কোনও চাটনি বা রায়তার সঙ্গে মুখরোচক জলখাবার।

উপকরণ: ১৫০ গ্রাম কাবুলি ছোলা, ১টি বড় পেঁয়াজ মোটা করে কুচোনো, ২ কোয়া রসুন, ৪ টেবিল চামচ পার্সলি বা ধনেপাতা, ১ চা চামচ জিরে, ১ চা চামচ ধনে, ১/২ চা চামচ বেকিং পাউডার, নুন ও মরিচ আন্দাজমতো, ভাজবার জন্য সাদা তেল।

প্রণালী: কাবুলি ছোলা ৮-১০ ঘণ্টা ভিজিয়ে রেখে সেদ্ধ করে নিতে হবে। এমনভাবে সেদ্ধ করবেন যাতে ছোলা সুসিদ্ধ হবে কিন্তু আস্ত থাকবে।

সেদ্ধ ছোলা তেল ছাড়া বাকি সব উপকরণের সঙ্গে বেটে নিন। মিক্সারে ব্লেন্ড করলেও হবে। টাইট বাটা চাই।

পাতিলেবুর আকারের বল বানান মিশ্রণটি থেকে। একটু চ্যাপটা কাবাবের আকার দিন।

কড়ায় যথেষ্ট পরিমাণে তেল গরম করে ফালাফেলগুলি ছাড়ুন। দুদিকেই সোনালি করে ভেজে তুলুন।

সঙ্গে শশার রায়তা খুব ভাল লাগে।

বাবা ঘানুষ

মধ্যপ্রাচ্যের রান্না। এটি একটি ডিপ, অত্যন্ত সুস্বাদু। তাহিনি এই অঞ্চলের বিশেষত্ব। তিল ও সামান্য জিরে একসঙ্গে বেটে নিলেই হল।

উপকরণ: ২টি মাঝারি বেগুন, ১ কোয়া রসুন থেঁতো করা, ৪ টেবিল চামচ তাহিনি, ১/৪ কাপ কাগজি বাদামবাটা (না দিলেও হবে), ১ টেবিল চামচ পাতিলেবুর রস, ১/২ চা চামচ জিরে গুঁড়ো, ১৫টি পুদিনাপাতা, ২ টেবিল চামচ অলিভ অয়েল বা সাদা তেল, নুন ও মরিচ আন্দাজমতো।

প্রণালী: বেগুন দুটি পুড়িয়ে খোসা ছাড়িয়ে নিন। বড় বড় টুকরোয় কেটে কিছুক্ষণ রাখুন। তারপর চেপে চেপে যতটা সম্ভব জল ফেলে দিন।

বেগুন, রসুন, তাহিনি, বাদামবাটা, লেবুর রস ও জিরে একসঙ্গে ব্লেন্ড করে নিন। রুচিমতো নুন ও মরিচ মেশান। শেষে পুদিনাপাতা কুচিয়ে মিশিয়ে নিন। বদলে ধনেপাতাও দেওয়া যেতে পারে।

ঠান্ডা করে পরিবেশন করতে পারেন, অথবা ঘরের তাপমাত্রায়। সঙ্গে

কাঁচা সবজির টুকরো, ফলের টুকরো, সেঁকা পাপড়, টোস্ট, সেঁকা পিতা ব্রেড যা ইচ্ছে দেবেন। তা ছাড়া যে কোনও ভাজাভুজির সঙ্গেও ভাল লাগে।

পার্ল বলস

উপকরণ: ১ কাপ বাসমতি চাল, ৪০০ গ্রাম চিকেন কিমা, রুচিমতো নুন ও মরিচ, ২টি কুচোনো কাঁচালংকা, ১ চা চামচ আদাবাটা, ১/২ চা চামচ রসুনবাটা।

সলসা: ২টি মাঝারি পাকা আম, ১টি ছোট আপেল, ১টি ছোট নাসপাতি, ১টি চিকু, ১ টেবিল চামচ লেবুর রস, ১ টেবিল চামচ ধনেপাতা কুচি, রুচিমতো নুন, ১ চা চামচ গুঁড়ো চিনি, ১ চা চামচ চিলি ফ্লেকস।

প্রণালী: চাল বেছে, ধুয়ে ২০-৩০ মিনিট জলে ভিজিয়ে রাখুন। জল ঝরিয়ে রাখুন। তবে খেয়াল রাখবেন ব্যবহার করার সময় যেন বেশি শুকিয়ে না যায়।

চিকেন কিমার সঙ্গে চাল ছাড়া বাকি সব উপকরণ একসঙ্গে ভাল করে মেখে নিন। ২০টি গোল বল তৈরি করুন।

ভেজা চালের ওপর বলগুলি গড়িয়ে নিন। একটু চেপে দেবেন যাতে চাল চিপকে যায় বলের ওপর।

কোনও ঝাঁঝরির ওপর বলগুলি রেখে নীচে জল রেখে ২০-২৫ মিনিট ভাপাতে হবে। মোমো স্টিমারেও ভাপানো যেতে পারে।

ঠান্ডা গরম দু'ভাবেই পরিবেশন করা যায়। সঙ্গে সলসা দেবেন।

সলসা: আমের পিউরি করে চিলি ফ্লেকস, নুন ও চিনির সঙ্গে ফুটিয়ে নিন। ঠান্ডা হলে বাকি ফলের ছোট ছোট কুচির সঙ্গে মিশিয়ে নিন। ওপরে ধনেপাতাকুচি ছড়িয়ে খেতে দিন।

বিস্কিট পিৎজা

খারি বিস্কুট সহজেই কিনতে পাওয়া যায়। পাতলা পাতলা লেয়ারে তৈরি এই নোনতা বিস্কুট।

উপকরণ: ২৫০ গ্রাম খারি বিস্কুট, $^{১}/_{২}$ কাপ টম্যাটো সস, $^{১}/_{২}$ কাপ কোরানো মোৎজারেলা চিজ।

টম্যাটো সস: ২০০ গ্রাম পাকা টম্যাটো, ১টি মাঝারি পেঁয়াজ, কোরানো ২ কোয়া রসুন, কুচোনো নুন ও মরিচ আন্দাজমতো, $^{১}/_{২}$ চা চামচ লংকাগুঁড়ো, ২ টেবিল চামচ মাখন।

প্রণালী: টম্যাটো সস: টম্যাটো সামান্য ফুটিয়ে, খোসা ছাড়িয়ে বিচি ফেলে দিন। এবার কুচিয়ে নিন।

ফ্রাইং প্যানে মাখন গরম করে পেঁয়াজ ছাড়ুন। পেঁয়াজ সামান্য নরম হলে টম্যাটো ও বাকি সব উপকরণ দিন। নেড়েচেড়ে হতে দিন। একেবারে গাঢ় হওয়া চাই কেচাপের মতো। এতে ১ চামচ চিনি ও ১ টেবিল চামচ টম্যাটো কেচাপও মেশানো যেতে পারে।

বিস্কুট মাঝখান থেকে দু'ভাগে ভাগ করুন। ওপরে টম্যাটো সস মাখান। ওপরে চিজ ছড়িয়ে গ্রিল করুন। চিজ গলে গেলে নামান।

গরম গরম খেতে দিন, সসের ওপরে পাতলা করে কাটা সসেজ, সেদ্ধ চিকেনের টুকরো বা কুচো চিংড়ি দেওয়া যেতে পারে। সবার ওপরে একটু অরিগানো ও চিলি ফ্লেকস ছড়িয়ে দিলে খুবই ভাল হয়। টম্যাটো সস তৈরি করার সময় না থাকলে কেচাপ ছড়িয়েও করা যাবে।

মিষ্টিমুখ

বিস্কুটের সন্দেশ

সত্যিকারের সন্দেশ বানানোয় ঝামেলা অনেক, তার চেয়ে বিস্কুট দিয়ে চটপট তৈরি করে ফেলুন আধুনিক সন্দেশ।

উপকরণ: ১ বড় প্যাকেট থিন এরারুট বা মারি বিস্কুট, ১ টেবিল চামচ সাদা মাখন (না দিলেও হয়), ১ টেবিল চামচ কোকো পাউডার, ১ বড় টিন কনডেনসড্ মিল্ক, ১/২ কাপ চকোলেট চিপস।

প্রণালী: বিস্কুট মিক্সারে মিহি করে গুঁড়িয়ে নিন। ১/২ কাপ মতো গুঁড়ো আলাদা রাখুন।

মাখন ও কনডেনসড্ দুধ একটি বড় বাটিতে ফেটিয়ে নিন। বিস্কুটের গুঁড়ো, ও কোকো পাউডার একটু একটু করে মেশান। খানিকটা মেশানোর পর চকোলেট চিপস দিন। আবার বিস্কুটের গুঁড়ো মাখুন। বেশ টাইট মাখা চাই।

একটি বাটার পেপারে কিছুটা শুকনো বিস্কুটের গুঁড়ো ছড়িয়ে অর্ধেকটা মাখা রেখে লম্বা সসেজের আকারে রোল করুন। ওই কাগজেই মুড়ে ফ্রিজে রাখুন। এই মাপে দুটি রোল হবে।

একটু ঠান্ডা হলে স্লাইস করে কেটে নিন। ১৫-২০ দিন ফ্রিজে ভাল থাকে।

চকোলেট চিপসের বদলে টুটিফ্রুটি বা যে কোনও বাদামের কুচি দেওয়া চলবে। সেক্ষেত্রে কোকো পাউডার বাদ দেবেন। আইসক্রিম বা কাস্টার্ডের সঙ্গে দিলে ডেসার্ট হিসেবেও পরিবেশন করা যায়।

কেকের প্যাঁড়া

আঁচের ধারে কাছেও না গিয়ে এই সুখাদ্য মিষ্টিটি নিজের জন্য তৈরি করে রাখুন।

উপকরণ: ৬ টুকরো সাধারণ কেক, ৬ টেবিল চামচ কনডেনসড মিল্ক, ২ টেবিল চামচ বিস্কুটের গুঁড়ো, ৪ টেবিল চামচ মিহি কুচোনো যে কোনও বাদাম, $^{১}/_{২}$ চা চামচ ভ্যানিলা এসেন্স, ৬ টেবিল চামচ গুঁড়ো চিনি, কাজু ও চেরি সাজাবার জন্য।

প্রণালী: কেকের টুকরো গুঁড়ো করতে হবে। মিক্সিতে ঘোরালেই গুঁড়িয়ে যাবে।

কেকের গুঁড়ো, কনডেনসড্ মিল্ক, বাদামকুচি, গুঁড়ো বিস্কুট ও ভ্যানিলা একসঙ্গে মেশান। প্রয়োজনে খুব সামান্য দুধ দিন যাতে মাখা যায়।

প্যাঁড়ার আকারে গড়ে গুঁড়ো চিনির ওপর গড়িয়ে নিন।

ওপরে কাজুবাদাম ও চেরি চিপকে দিন। পেপার কাপে সাজিয়ে দিলে ভারী সুন্দর দেখায়। ফ্রিজে দিন সাতেক ভাল থাকে।

ছানার নাড়ু

উপকরণ: ১ কাপ বাড়িতে তৈরি জল ঝরানো ছানা, ১ কাপ খোয়া, ৪ টেবিল চামচ গুঁড়ো চিনি, ১/২ চা চামচ ভ্যানিলা এসেন্স, সাজাবার জন্য তবক।

প্রণালী: খোয়া গুঁড়িয়ে নিন। ছানাও হাত দিয়ে মসৃণ করে মেখে নিন।

সব উপকরণ একসঙ্গে চটকে মেখে নিন। ছোট ছোট বল বানিয়ে তবক মুড়ে রাখুন।

ফ্রিজে রেখে দেবেন। ২-৪ দিন ঠিক থাকবে।

আমসত্ত্বের গিলৌরি

এই মিষ্টিটি দিল্লিতে খুব জনপ্রিয়। ওখানে একরকম টক মিষ্টি আমসত্ত্ব পাওয়া যায়। আমরা অবশ্য এখানকার মিষ্টি আমসত্ত্ব দিয়েই বানাব।

উপকরণ: ১ প্যাকেট আমসত্ত্ব, ১ টেবিল চামচ গুঁড়ো চিনি, ৪ টেবিল চামচ কুচোনো বাদাম, ৪ টেবিল চামচ কোরানো খোয়া, ২ টেবিল চামচ কুচোনো চেরি, ১/৪ চা চামচ এলাচের গুঁড়ো, সাজাবার জন্য তবক।

প্রণালী: আমসত্ত্ব লম্বা ফালি ফালি করে ছিঁড়ে নিন। এক প্যাকেটে ৮টি ফালি হবে।

গুঁড়ো চিনি, বাদামকুচি, কোরানো খোয়া, চেরি ও এলাচ গুঁড়ো সব একসঙ্গে মিশিয়ে নিতে হবে।

আমসত্ত্বের ফালির মধ্যে সমপরিমাণে খোয়ার মিশ্রণ রেখে পানের খিলির মতো মুড়ে নিন। ওপরে তবক দিয়ে সাজিয়ে দিন।

১৭৭

শ্রীখণ্ড বরফি

ফ্রিজে ৭ দিন ভাল থাকবে।

উপকরণ: ৭৫০ গ্রাম টাটকা টক দই, ১ বড় টিন কনডেনসড্ মিল্ক, ২৫০ গ্রাম কোরানো ছানা, ১ চা চামচ ভ্যানিলা, কাগজি বাদাম ও পেস্তার মিহি কুচি।

প্রণালী: টক দই দোকানের হলে ভাল কারণ তাতে টকভাব কম থাকে। দই ন্যাকড়ায় বেঁধে ঝুলিয়ে রাখুন। যেন একটুও জল না থাকে।

জল ঝরানো দই, কনডেনসড্ মিল্ক, ছানা ও ভ্যানিলা একসঙ্গে মিক্সিতে ব্লেন্ড করুন। সব যেন ভালভাবে মিশে যায় ও মসৃণ হয়। শেষে বাদাম-পেস্তাকুচি মেশান।

একটি পাত্রে ঢেলে ভাপিয়ে নিন আধঘণ্টা। প্রেশার কুকার বা রাইস কুকার ব্যবহার করতে পারেন বা ফুটন্ত জলের ওপর বসিয়েও ভাপানো যেতে পারে।

ঠান্ডা হলে কেটে কেটে রাখুন বরফির মতো। এতে জাফরান বা চকোলেট চিপসও মেশানো যেতে পারে।

আপেল অমলেট

একটু অভিনব ডেসার্ট, একঘেয়ে মিষ্টি খেয়ে খেয়ে অরুচি ধরলে এইটি সার্ভ করুন। সহজেও হয়, ডিম তো বাড়িতে সবসময়ই থাকে।

উপকরণ: ১ টেবিল চামচ ময়দা, ১ চা চামচ কোকো পাউডার, ১ ছোট্ট

১৭৮

টিপ নুন, ২ টেবিল চামচ দুধ, ৪টি ডিম, ২টি আপেল, ১ টেবিল চামচ গুঁড়ো চিনি, ৪ টেবিল চামচ মাখন ভাজবার জন্য।

চকোলেট সস: ২$^{১}/_{২}$ টেবিল চামচ কোকো পাউডার, ২ টেবিল চামচ গুঁড়ো চিনি, ৪ টেবিল চামচ জল, ২৫০ মিলি ক্রিম।

প্রণালী: কোকো পাউডার, গুঁড়ো চিনি ও জল একসঙ্গে মিশিয়ে আঁচে বসান। একটু নেড়ে নামান। মসৃণ গোলা চাই।

ক্রিম ফেটিয়ে নিয়ে তাতে কোকোর মিশ্রণ মেশান। ফ্রিজে রাখা যায় বেশ ক'দিন।

আপেলের খোসা ছাড়িয়ে কুরিয়ে নিতে হবে। ঠিক ব্যবহার করার আগেই কুরোবেন। নয়তো কালো হয়ে যাবে।

ময়দা, কোকো পাউডার ও নুন একসঙ্গে মিশিয়ে দুধ মেশান, এবার সব ডিম দিয়ে ফেটান, মসৃণ গোলা চাই। শেষে কোরানো আপেল মেশান।

নন-স্টিক চাটুতে ১ টেবিল চামচ মাখন দিয়ে $^{১}/_{৪}$ ভাগ গোলা ছড়িয়ে অমলেট তৈরি করুন। ওপরে চকোলেট সস দিয়ে খেতে দিন।

বাজারের কেনা চকোলেট সসও ব্যবহার করা যাবে।

কুকি ট্রাইফল

অত্যন্ত ফাঁকিবাজির রান্না কিন্তু খেতে দুর্দান্ত। একদিন আগে বানাতে পারলেই ভাল। বিস্কুটগুলি ভাল ফুলে ওঠে। আমার মার কাছে শেখা।

উপকরণ: ১ প্যাকেট অরেঞ্জ মারি বিস্কুট, ১ লিটার কাস্টার্ড, যে কোনও জ্যাম প্রয়োজনমতো, চকোলেট চিপস দরকারমতো, $^{১}/_{২}$ কাপ বাদামকুচি।

প্রণালী: কাস্টার্ডের জন্য ১ লিটার দুধ ফুটিয়ে ৫ টেবিল চামচ চিনি মেশান, আলাদাভাবে ৫ টেবিল চামচ কাস্টার্ড পাউডার একটু ঠান্ডা দুধে গুলে নিন। চিনি গলে গেলে কাস্টার্ড ঢেলে সমানে নাড়তে থাকুন। ৩-৪ মিনিট ফুটিয়ে নামান।

ইতিমধ্যে দুটি বিস্কুটের ভেতরে $^{১}/_{২}$ চামচ মতো জ্যাম মাখিয়ে স্যান্ডউইচ বানান। যে কোনও কাচের সুদৃশ্য বাসনে পাশাপাশি সাজান।

ওপরে কাস্টার্ড ঢালুন। ছোট বাসন হলে দু'থাকে সাজাবেন। একবার কাস্টার্ড ঢেলে আবার বিস্কুট সাজিয়ে বাকি কাস্টার্ড ঢালুন। ফ্রিজে রাখুন।

ঠান্ডা হলে ওপরে চকোলেট চিপস ও বাদাম ছড়িয়ে দিন।

চকোলেট চিপসের বদলে চকোলেটের টুকরো বা জেমস চকোলেট দেওয়া যাবে। ক্রিস্টাল জেলি দিলেও ভাল লাগে। ফলের টুকরোও দেওয়া চলে। তবে ফল ঠিক খেতে দেবার আগে দেবেন। অবশ্যই পছন্দসই অন্য কুকিও ব্যবহার করা যাবে।

কলার মেরিন

গরম মিষ্টি আমরা বড় একটা খাই না। এই অভিনব ডেসার্টটি খেয়ে দেখুন। নিজে তো বার বার খাবেনই, অন্যরাও ভিড় করবে।

উপকরণ: ১ টেবিল চামচ মাখন, ৪টি ছোট পাকা কলা।

সস: ১ কাপ কুচোনো আনারস (টিনের হলেই ভাল), ১ টেবিল চামচ মাখন, ৩ টেবিল চামচ ব্রাউন সুগার, ২ চা চামচ কর্নফ্লাওয়ার, $^{১}/_{২}$ চা চামচ আমন্ড এসেন্স, ১ টেবিল চামচ লেবুর রস, $^{১}/_{৪}$ চা চামচ লেবুর কোরানো খোসা।

প্রণালী: কলার খোসা ছাড়িয়ে মধ্যে থেকে চিরে ২ টুকরো করে নিতে হবে।

ফ্রাইং প্যানে মাখন হালকা গরম করে কলা ছাড়ুন। কম আঁচে ২ দিক একটু ভেজে তুলুন।

সস: আনারস, মাখন, ব্রাউন সুগার, কর্নফ্লাওয়ার ও এসেন্স একসঙ্গে মেশান।

সসপ্যানে এই মিশ্রণ দিয়ে নাড়তে থাকুন নরম আঁচে। গাঢ় ও স্বচ্ছ হলে (মিনিট ৫ লাগবে) লেবুর রস ও কোরানো খোসা মেশান।

কলার ওপর সস ঢেলে হালকা গরম অবস্থায় খেতে দিন।

মিষ্টি ফ্রেঞ্চ টোস্ট

ছেলে বুড়ো সকলেরই ভাল লাগে। নিজের জন্য রাঁধতে হলে এর চেয়ে চটপট আর কিছু হবে না। ঠান্ডা বা গরম দু'ভাবেই ভাল লাগবে।

উপকরণ: ১/২ কাপ দুধ, ১ টেবিল চামচ গুঁড়ো চিনি, ১ ছোট্ট টিপ নুন, ১/২ চা চামচ ভ্যানিলা এসেন্স, ১টি ডিম, ফেটানো ৪ স্লাইস পাউরুটি, ৪ চা চামচ মাখন বা তেল ও মাখনের মিশ্রণ, সামান্য দারচিনি গুঁড়ো, ভ্যানিলা আইসক্রিম সঙ্গে দেবার জন্য।

প্রণালী: দুধ, চিনি, নুন, ভ্যানিলা ও ডিম একসঙ্গে ভালভাবে ফেটিয়ে নিন।

পাউরুটির ধার বাদ দিতেও পারেন বা রাখতেও পারেন। দুধে পাউরুটির স্লাইসগুলি দু'মিনিট ভিজিয়ে রাখুন।

নন-স্টিক ফ্রাইংপ্যানে মাখন গরম করে পাউরুটির দু'দিক সোনালি করে

ভেজে নিন। আঁচ তেজ থাকবে, সাবধানে ওলটাবেন পাউরুটি, ভেঙে যেতে পারে। টিসু পেপারের ওপর তুললে বাড়তি মাখন বেরিয়ে যাবে।

ওপরে দারচিনির গুঁড়ো ছড়িয়ে দিন। গরম গরম ভাজা টোস্টের সঙ্গে ঠান্ডা আইসক্রিম খেতে দিন।

কফি সুফলে

ফ্রিজে ২-৩ দিন রাখা যাবে। অতিথি খাওয়ালে আগের দিন তৈরি করে রাখলে অনেক সময় বাঁচে।

উপকরণ: ৩টি ডিম, ২ টেবিল চামচ তৈরি কফি, $^{১}/_{২}$ কাপ ক্রিম, ২ চা চামচ জিলেটিন, $^{১}/_{৪}$ কাপ ক্যাস্টর সুগার।

প্রণালী: ডিমের কুসুম ও সাদা অংশ আলাদা করে নিতে হবে। ১ টেবিল চামচ ইনস্ট্যান্ট কফি পাউডারের সঙ্গে ২-৩ টেবিল চামচ জল মিশিয়ে কফি তৈরি করতে হবে।

ক্রিম ফেটিয়ে রাখুন। জিলেটিন ৩ টেবিল চামচ জলে ভিজিয়ে তারপর গলিয়ে নিন কম আঁচে। মাইক্রোওয়েভেও গলানো যেতে পারে।

ডিমের কুসুম, গুঁড়ো চিনি ও তৈরি কফি একসঙ্গে ফেটান। ইলেকট্রিক বিটার ব্যবহার করলে সুবিধে হবে। ডিমের সাদা অংশও ফেটিয়ে রাখুন।

কফি মিশ্রণে প্রথমে গলানো জিলেটিন মেশান। এবার প্রথমে ক্রিম ও পরে ডিমের ফেটানো সাদা অংশ হালকা হাতে মিশিয়ে নিন।

যে কোনও মোল্ডে তেলহাত বুলিয়ে মিশ্রণটি ঢালুন। ফ্রিজে রাখুন ২-৪ ঘণ্টা, জমে যাবে।

ওপরে বাদাম ও চেরি দিয়ে সাজাবেন।

শর্টকাট

- মাছ, মাংস অথবা চিকেন বাজার থেকে আনার পর নিত্যকার প্রয়োজনের মতো ছোট ছোট প্যাকেট করে ফ্রিজারে রাখুন। রাত্রে দরকারমতো প্যাকেট ফ্রিজের নীচের তাকে নামিয়ে রাখুন। সকালে বার করলে বরফ খুব তাড়াতাড়ি গলে যাবে।

- একদিন একটু সময় নিয়ে অনেকটা রসুন একসঙ্গে বেটে রাখলে ফ্রিজে অনেকদিন ভাল থাকে। অবশ্যই বায়ুনিরোধক কৌটোতে রাখতে হবে।

- আদাকুচি বা আদাবাটার পরিবর্তে আদা গ্রেট করে রাখুন ফ্রিজে। একইরকম কাজ হবে। যে কোনও রেসিপিতে তক্ষুনি আদা কুরিয়েও দেওয়া যায়।

- দু'দিনের মতো ডাল একসঙ্গে কুকারে সেদ্ধ করে নিন। দু'রকম ফোড়ন দিয়ে রান্না করুন। ডাল সেদ্ধ করার সময়টুকু বাঁচবে।

- পালংশাক সেদ্ধ করে পিউরি বানিয়ে রাখুন ফ্রিজে। নানানভাবে ব্যবহার করা যায়। মশলা দিয়ে গ্রেভি তৈরি করে বানান পালক পনির বা চিকেন বা মাছ। সুপ কিউব ও দুধ দিয়ে তৈরি করুন সুপ। অমলেটে মেশান, পুষ্টিগুণ বাড়বে। চিজ সসে দিলেও খেতে খুব ভাল হবে।

- নারকোল কুরিয়ে আইস ট্রে-র খোপে জমিয়ে ফেলুন। যখন দরকার বার করে নিলেই হল।

- যে-কোনও রান্না কড়ায় করলেই ভাল। কারণ কড়াতে আঁচ সমানভাবে ছড়িয়ে পড়ে ও তেলও কম লাগে।

- যে-কোনও সবজি সুপ কিউবের সঙ্গে সেদ্ধ করে পিউরি করে নিন। একটু কোরানো চিজ ছড়িয়ে সুপ বানিয়ে ফেলুন চটপট।

- যে-কোনও বাদাম রান্নায় ব্যবহার করুন। স্বাদ তো বাড়বেই, পুষ্টিগুণও। স্যালাড, স্যান্ডউইচ, ভাত, অমলেট— সবকিছুতেই। চিনেবাদাম দামেও সস্তা ও পুষ্টিও প্রচুর।

- বাদাম হাতে করে কুচোতে হলে প্রচুর সময় লাগে। তার বদলে নোড়া জাতীয় ভারী কিছু দিয়ে থেঁতো করলে সহজে হয়।

- কেক ব্যাটারে মাখন ব্যবহার করুন ঘরের তাপমাত্রায় এবং চিনি গুঁড়িয়ে নিন। খুব চটপট মাখন ও চিনি ফেটানো যাবে।

- মটরশুঁটি একসঙ্গে ছাড়িয়ে রাখুন ফ্রিজে। প্রয়োজনমতো বার করে নিন। ফ্রিজে বেশ কিছু দিন ভাল থাকে।

- পেঁয়াজ, আদা ও রসুন একসঙ্গে বেটে তেলে কষে নিন। তেলছাড়া হলে ঠান্ডা করে ফ্রিজারে রাখুন। দরকার মতো বার করে মশলা ও টকদই বা টমেটো পিউরি মিশিয়ে একটু নেড়ে নিলেই গ্রেভি তৈরি। টাইট কৌটোতে রাখবেন ফ্রিজারে; দিন পনেরো ভাল থাকবে।

- বেঁচে থাকা সবজি দিয়ে স্যান্ডউইচ তৈরি করে দু'দিকে সামান্য মাখন মাখিয়ে টোস্টারে সেঁকে নিন। ব্রেকফাস্ট বা চায়ের সঙ্গে দারুণ।

- এঁটো বাসন তক্ষুনি জল দিয়ে ধুয়ে জলে ভিজিয়ে রাখুন। যখন হয় সাবান দিয়ে ধুয়ে নেবেন।

- সবজি কাটবার সময় নীচে খবরের কাগজ রাখুন। খোসা, বিচি ইত্যাদি কাগজে মুড়ে ফেলে দিলেই হল। মোছামুছির হ্যাঙ্গামা থাকে না।

- আমাদের মতো আপনার বাড়িতেও যদি আলুর খরচ হয় বেশি— এক সঙ্গে অনেকটা আলু কুকারে বা মাইক্রোওয়েভে সেদ্ধ করে রেখে দিন ফ্রিজে। একইভাবে সেদ্ধ ডিমও (খোসাসুদ্ধু) রেখে দেওয়া যায় ২-৪ দিন।

- কিছু চিনি গুঁড়িয়ে শিশিতে ভরে রাখুন। গরমকালে চটপট শরবত তৈরি হয়ে যাবে। তা ছাড়া, গুঁড়ো চিনি দিয়ে কফি ফেটালে অনেক বেশি ফেনা হয়।

- নুনদানিতে ১ ভাগ মরিচগুঁড়ো ও তিনভাগ নুন মিশিয়ে রাখুন। সকালবেলায় তাড়াহুড়োতে সময় বাঁচে।

- রান্নাঘরের জন্য আলাদা কাঁচি পাওয়া যায়। শাকসবজি, কাঁচালংকা, ভিন্ডি জাতীয় কিছু সবজি খুব সহজে কাটা যায়। এমনকী ছোট মাছও কাটা যায়।

- একটা একটা করে দানা বার করার চেয়ে আস্ত ভুট্টা কুরিয়ে নিলে অনেক সহজ হয়।

- মেয়োনেজ সহজে ফেটাতে হলে তেলের আগে লেবুর রস বা ভিনিগার মেশান ডিমের কুসুমে। এতে তেল অনেক সহজে মিশে যায়।

- সুপ বা স্যালাডে দেবার জন্য ব্রেড ক্রুটন (ছোট ছোট পাঁউরুটির টুকরো ভাজা) আমরা হামেশাই ব্যবহার করি। এতে অনেক তেল লাগে, যা বাঞ্ছনীয় নয়। এর বদলে পাঁউরুটির ২ দিকে খুব সামান্য তেল বা মাখন মাখিয়ে টুকরো করে কেটে নিন। এবার আভেনে কম তাপমাত্রায় বেক করে নিন।

- স্টক অনেকটা করে তৈরি করুন একসঙ্গে। আইস ট্রেতে ভরে বরফ তৈরি করে প্লাস্টিক ব্যাগে ভরে ফ্রিজারে রাখুন। অন্তত মাসখানেক ঠিক থাকবে।

- শশা, লাউ, বড় আলু জাতীয় সবজির খোসা ছাড়াবার সময় পিলার

ব্যবহার করুন। বঁটি বা ছুরির চেয়ে কম সময়ে ছাড়ানো যাবে।

- ফ্রিজ থেকে বার করা ঠান্ডা ডিম চটপট গরম করতে হলে উষ্ণ জলে খানিকক্ষণ ভিজিয়ে রাখুন। বেশি গরম জল দেবেন না, তাতে ডিম অনেকটা সেদ্ধ হয়ে যাবে।

- ১ কাপ ময়দাতে ১ চা চামচ নুন ও ২ চা চামচ মরিচ মিশিয়ে রাখুন। দরকারমতো বার করে নিলেই হল। মাস দেড়েক কৌটোতেই ঠিক থাকবে।

- মাছ, চিকেন, অথবা সবজি, ডিমে সাধারণত আমরা শুকনো পাঁউরুটি গুঁড়ো মাখাই ভাজবার জন্য। এর বদলে কিন্তু কর্নফ্লেকস্, শুকনো ভাজা চিঁড়ে গুঁড়ো, সুজি বা মুড়ি গুঁড়োও ব্যবহার করা যায়।

- মাখন গরম করবার সময় সব সময় একটু তেল মেশাবেন। এতে মাখন পুড়ে যাবে না।

- কাচের বাসনে দাগ ধরলে নুন ও সাবান দিয়ে ঘষুন। সহজেই দাগ উঠে যাবে।

- ফ্রিজ থেকে সরাসরি ঠান্ডা ডিম কখনওই ফোটাবেন না। এতে ডিম ফেটে যাবেই। প্রথমে বাইরে রেখে অনেকটা ঘরের তাপমাত্রায় এলে ব্যবহার করুন।

- চিজ বা চিজ সসের ওপর কাশ্মীরি লংকা ছড়ান ও গ্রিল করুন। সহজে লাল হবে ও খেতেও ভাল লাগবে।

- ডিমের সাদা ফেটাবার জন্য বাসনটি ও হুইস্ক একেবারে পরিষ্কার হতে হবে। এবং সাদার মধ্যে যেন একটুও হলুদ অংশ চলে না যায়। এক চিমটি নুন দিয়ে ফেটালে খুব ফেনা ফেনা হবে।

- কোনও স্যালাড ড্রেসিংয়ে বেশি ভিনিগার থাকলে তা বেশিক্ষণ স্যালাডে

মাখাবেন না। খেতে দেবার ঠিক আগে ড্রেসিং মাখাবেন। ভিনিগারে লেটুস পাতা বা অন্য উপকরণ নরম হয়ে যায়।

- কোনও রেসিপিতে সাওয়ার ক্রিমের উল্লেখ থাকলে সাধারণ ক্রিমে লেবুর রস মিশিয়ে ব্যবহার করুন।
- পেঁয়াজ অথবা রসুন কাটার পর হাতে গন্ধ হলে লেবুর রস ও নুন মেখে হাত ধুয়ে ফেলুন।
- টমেটো জলে সামান্য ফুটিয়ে নিলে সহজেই খোসা ছাড়ানো যায়।
- সাদা সস তৈরি করতে হলে দুধ একটু গরম করে নিয়ে ভাজা ময়দাতে ঢালুন, সহজে মিশবে, ঠান্ডা দুধে ডেলা পাকিয়ে যাবেই।
- কৌটোর সুপে একটি চিকেন স্টক কিউব ও ১ কাপ জল মেশালে সুপ অনেকটা বেড়ে যাবে; স্বাদে কোনও তফাত হবে না।
- বাসি পাঁউরুটি বা হাতে গড়া রুটি গরম করতে হলে কাপড় বা কাগজে জড়িয়ে মাইক্রোওয়েভে গরম করুন। নরম হয়ে যাবে টাটকা রুটির মতো।
- রান্না করার সঙ্গে সঙ্গেই নোংরা বাসন ধুতে থাকুন। এতে কাজ চটপট হবে ও সিঙ্কে বাসনের পাহাড় জমবে না। সময়ও বাঁচবে।
- ডিমের কুসুম ও সাদা আলাদা করতে হলে ফ্রিজ থেকে বার করেই আলাদা করে ফেলুন। কিন্তু তা ফেটাতে হলে ঘরের তাপমাত্রায় এনে ফেটান।
- ক্রিস্টাল জেলি তাড়াতাড়ি সেট করতে হলে প্রথমে প্রয়োজনীয় জলের অর্ধেক গরম করে ক্রিস্টাল গলান, পরে বাকি অর্ধেক বরফ ঠান্ডা জল দিন। জেলি অনেক কম সময়ে জমে যাবে।
- অনেক রান্নাতে লেবুর কোরানো খোসার কথা বলা থাকে। আস্ত লেবু গ্রেটারে ঘষে ঘষে কুরে নিন, অনেক সহজ হবে।

- লেবুর রস বার করার আগে সামান্য গরম করে নিলে বেশি রস বেরোয়।
- এলাচ গুঁড়ো করতে হলে চিনির সঙ্গে গুঁড়ো করুন। অনেক সহজ হবে ও এলাচ নষ্ট হবে না।
- ধনেপাতা ধুয়ে রোদে শুকিয়ে নিন। একেবারে শুকিয়ে গেলে গুঁড়ো করে রাখুন। টাটকা ধনেপাতার বদলে ব্যবহার করা যাবে। একই ভাবে মেথি পাতা অথবা কারিপাতাও ব্যবহার করা যায়। মাইক্রোওয়েভেও সহজে শুকোনো যায় যে কোনও পাতা।
- চা ভেজাবার সঙ্গে সঙ্গে ১ টুকরো কমলালেবুর খোসা দিয়ে দিলে ভারী সুন্দর গন্ধ হয়।
- লুচির ময়দা মাখার সময় খানিকটা ভাতের মাড় দিয়ে মাখলে লুচি অনেকক্ষণ মুচমুচে থাকে।
- কুকারে ডাল সেদ্ধ করার সময় একটু তেল দিলে ডাল উথলে পড়ে না।
- ফ্রিজে বিস্কুট রাখলে মুচমুচে থাকে। বর্ষাকালেও মিইয়ে যায় না।
- সামান্য শুকনো আদার গুঁড়ো, এলাচ গুঁড়ো ও মরিচগুঁড়ো একসঙ্গে মিশিয়ে চায়ের পাতার সঙ্গে মেশান। মশলা চা সহজেই তৈরি করা যাবে।
- পেঁয়াজ তাড়াতাড়ি লাল করতে হলে ভাজার সময় একটু চিনি দিয়ে দিন।
- স্যালাড ড্রেসিংয়ে সামান্য জিরেভাজার গুঁড়ো মেশালে ভারী নতুন রকমের স্বাদ হয়।
- রান্নাঘরে কর্পূর ছড়িয়ে রাখলে পিঁপড়ের অত্যাচার কমে।
- যে-কোনও সবজি নুন ও ভিনিগার মেশানো জলে ভিজিয়ে রাখলে পোকামাকড় মরে যায়।
- আধপাকা টমেটো পেপার ব্যাগে মুড়ে কোনও অন্ধকার জায়গায় রাখলে তাড়াতাড়ি পাকে।

- কারিপাতা তেলে মুচমুচে করে ভেজে বায়ুনিরোধক কৌটোতে ভরে রাখলে অনেকদিন ঠিক থাকে। যখন যেমন দরকার রান্নাতে দিলেই হল।
- পেঁয়াজ আধখানা করে কেটে জলে ভিজিয়ে রাখুন। এবার স্লাইস করুন। চোখ দিয়ে জল পড়বে না।
- টমেটো বা অন্য কোনও সুপ গাঢ় করতে হলে সুজি ব্যবহার করুন। স্বাদও বাড়বে।
- চিকেন বা মাটন স্টক তৈরি করে একরাত ফ্রিজে রাখুন। সব চর্বি ওপরে জমে যাবে। তুলে ফেলে দিন। শুধু শুধু খানিকটা চর্বি খেয়ে কি হবে?
- কাগজি বাদাম বা কাজুবাদাম যথেষ্ট দামি; তার বদলে মগজ (কুমড়ো বিচি) ব্যবহার করুন।
- দুধ কেটে যাবার ভয় থাকলে ১ টিপ খাবার সোডা দিয়ে ফোটান, দুধ কখনই কাটবে না।
- নুন জলে ডিম সেদ্ধ করলে সহজেই খোসা ছাড়ানো যায়।
- কাঁচি দিয়ে শুকনো ফল বা বাদাম কাটলে অনেক সহজ হয়।

———